MI PIEDRA ROSETTA

NINA

CUATRO PIEZAS BREVES

JOSÉ RAMÓN FERNÁNDEZ

COLECCIÓN "TEATRO ESPAÑOL" Nº 17

© De las obras, José Ramón Fernández
© Del prólogo, Rosa Serrano Baixauli.
© De las fotografías de portada:
Arriba: Los actores Christian Gordo, Patricia Ruz, Tomi Ojeda y
Jesús Barranco y la violonchelista Iris Jugo en una escena de *Mi
piedra Rosetta*. Foto: Tomi Osuna.
Abajo: Muriel Sánchez, Jesús Hierónides y José Bustos en *Nina*.
Foto: Carlos Luján.
© De esta edición, Esperpento Ediciones Teatrales, 2017.
www.esperpentoteatro.es
Depósito Legal: M-13420-2017
ISBN 978-84-946696-5-1
Impreso en España.

PRÓLOGO

ROSA SERRANO BAIXAULI

EL ARTE NOS SALVA LA VIDA

No me siento Dios respecto de mis personajes, sino uno que los oye hablar, pero sí los observo con compasión, es decir, con pasión compartida, sintiendo el dolor de sus heridas, observando lo grande que nos viene la vida a casi todos. [...] Todos cargamos sobre nuestros hombros vidas que a menudo no somos capaces de manejar. Los seres que sufren este tipo de situaciones se llaman personas. Y a mí me interesa escribir sobre ellos. Sobre personas.[1]

Las obras mayores (hablaremos más tarde de las breves) que nos ocupan en la presente edición comparten la voluntad del autor por desentrañar la complejidad humana, por hacer patente la angustia vital que le es inherente al ser humano en algún momento de su existencia. Ambas obras parten de la desesperación del individuo, en ellas flota sin ambigüedad el deseo de morir, la lucha entre dejarse ir y seguir viviendo. La feliz noticia en las dos obras es el desenlace: que deja abierta la puerta a la esperanza. Y el arte, como representación excelsa de los seres humanos, es clave y determinante para que ello suceda.

Diez años separan una obra de otra, una década... En este tiempo José Ramón Fernández se ha consagrado -podemos usar plenamente este término- como autor, por diversos y relevantes motivos, entre los que destaca el merecido galardón del Premio Nacional de Literatura Dramática 2011. Estos diez años que transcurren entre una obra y otra no pasan en balde, son el acicate de una evolución personal y profesional que se hace patente en *Mi piedra Rosetta*, especialmente en el uso de las didascalias, como comentaremos.

---

1. FERNÁNDEZ, José Ramón: *Nina,* Cuadernos del Teatro Español, número 8. Temporada 2006. Página 74.

Comenzaremos nuestro estudio con *Nina*:

"NINA es un combate entre la desesperación y la voluntad de vivir, de seguir viviendo mañana por la mañana."[2]

Nina es la historia que responde a la pregunta de nuestro dramaturgo acerca de qué pasa con la Nina chejoviana.[3] Al igual que en la obra colectiva *¿Qué hizo Nora cuando se marchó?*, J. R. Fernández se plantea qué hizo la Nina de *La gaviota*. Y su respuesta es esta obra, que de forma autónoma hace a su Nina una mujer de nuestro tiempo, pero al mismo tiempo atemporal y universal, que transita en nuestros días mostrándonos "la grandeza de la miseria humana", al igual que lo hizo Chejov en su obra.[4]

Nina llega a un hotel de la costa levantina[5] en el que trabajan dos hombres de diferente edad: Blas 36, Esteban 57. Su llegada viene precedida de un encuentro con la realidad, puesto que ha ido a visitar la casa en la que vive un antiguo amor. Empapada y destrozada decide volver a Madrid, su lugar de residencia, hasta que se encuentra con Blas, antiguo amigo de cuando eran adolescentes. Ambos hablan con sabor agridulce del pasado,

---

2. Contraportada de la edición del Teatro Español, Temporada 2006. *Nina* de José Ramón Fernández. Premio Lope de Vega 2003. Frase que se extrae de un artículo titulado "Verías el infierno", que el propio autor escribe para la edición que hemos citado anteriormente. Página 73.

3. "Hay una repetida y palpable referencia a *La gaviota* que recorre todas las páginas de *Nina*. Efectivamente, me planteé un ejercicio como punto de partida de la escritura de esta obra: vamos a seguir a Nina, de *La gaviota*, a ver qué hace cuando deja a Kostia, al final de la obra de Chejov." *Op. cit.* Páginas. 78 y 79.

4. PALLÍN, Yolanda: "Corta distancia: a propósito de *Nina*, de José Ramón Fernández." *Estreno*, volumen XXX, núm2, Otoño de 2004, pág. 16. Leemos: "*Nina* les hablará de lo que nos habla *La gaviota*: de la grandeza de la miseria humana. Ni más ni menos."

5. Pese a la querencia de nuestro dramaturgo por no concretar geográficamente el lugar de la obra, podemos adivinar que se trata de la costa levantina, probablemente del pueblo de Oliva, donde José Ramón Fernández veraneó durante años.

rememorando historias y anécdotas de otro tiempo, la adolescencia. Blas y Nina tienen un encuentro sexual que desencadenará en un final de doble bifurcación: Nina ya no huye, sino que supera ese pasado a través del entendimiento y decide cambiar la agonía de su presente con una intención: conseguir un futuro mejor. Blas decide luchar por su mujer y su hijo, dejando de ser inmóvil, dejando de mostrar pasividad. Un tercer personaje -Esteban- es relevante en esta historia pues propicia el encuentro de ambos, empujándolos de alguna forma a enfrentarse con la realidad.

Esta obra nos habla de las miserias humanas, de la desesperación, del peso de la vida, de la frontera que suponen los treinta, como en el caso de las Comedias Zurdas[6]; de la historia de cualquiera de nosotros en un momento concreto de nuestras vidas.

Nina se estructura de forma perfecta en los cánones de tiempo y lugar, pues la acción transcurre durante la noche en el hall de un hotel. Es este aspecto uno de los que diferencia enormemente esta obra de *Mi piedra Rosetta*.[7] Tres personajes que tras sus intervenciones, muy bien marcadas, dejan patente el conflicto que nos presenta la obra, su desarrollo a través del tiempo nocturno y que deja paso, como la mañana en sus primeros destellos de luz, a una puerta abierta a la esperanza, a la solución del problema.

El personaje de Nina representa los sueños rotos, el fracaso, la idealización de un futuro a través de unas aspiraciones que creía alcanzables. ¿A quién no le ha pasado eso de mirar atrás y darse cuenta de que no se encuentra donde un día soñó? ¿Quién no ha hecho balance del tiempo pasado y ha llegado a la triste conclusión de que una vez, tras otra, se equivocó? Los seres humanos somos eso: un compendio de tiempo, expe-

---

6. Comedias inéditas que reciben dicha denominación porque nacen a partir de la estrecha relación que une a nuestro dramaturgo con la compañía Teatro del Zurdo.
7. *Mi piedra Rosetta* contempla más de un espacio y de un tiempo.

riencias, aciertos y como no, errores. La persona que somos en cada momento de nuestras vidas es deudora de ese amasijo de elementos al que nombramos existencia. Nina es un ser frágil en el momento en el que llega al hotel, empapada por la lluvia, rota por el dolor y la desesperación, perdida porque no encontró lo que venía buscando, quiere volver a huir como en otro tiempo, hace diez años. La gran diferencia es que una década atrás era más inocente, más inexperta y estaba inmersa en las ilusiones, las esperanzas, la pasión, la motivación... y ahora el peso de la vida la ahoga. Se trata de un personaje joven -apenas 31 años-, que sin embargo, por su actitud, por su manera de hablar, se muestra hastiado de la vida, se siente viejo, agotado, derrumbado como consecuencia de las distintas vicisitudes de su existencia vital.

José Ramón Fernández, a través de esta protagonista, quiere mostrar al ser humano tal y como es, tal y como sufre, al ser humano de a pie que todos conocemos, con el que todos nos podemos identificar... Su interés radica en hacer patente la soledad que los individuos experimentamos en muchos momentos de nuestra vida, porque creemos que lo que nos pasa es terrible, que nadie puede comprendernos, que estamos solos ante las dificultades y que probablemente siempre vamos a considerar que al de al lado le fue mejor; que tal vez decidió mejor... El sentimiento velado de culpa que queda patente tras la conversación entre Nina y Blas es parte de esa suerte de decisiones, de acciones o de pasividad -caso de este último-. Es necesario parar y escrutar el pasado, ver qué errores se cometieron para no volver a caer en ellos -ésa es la enseñanza-, para así vislumbrar un futuro esperanzador.

Blas es, de alguna manera, la antítesis de Nina. Éste no se molesta por hacer nada, no ha decidido nunca, no ha arriesgado jamás. Si su vida no es de su agrado, si le invade una angustia vital es porque deja que los demás actúen y él simplemente se deja llevar. Tanto es así que leemos: "Para ser un fracasado hay que fracasar en algo"[8] porque Blas no ha intentado nunca cambiar sus circunstancias, por eso se ve inmerso en un matrimonio infeliz donde su mujer lo repudia, lo desprecia y decide intimar con otro. Blas, ante esto, simplemente asume y sigue su rutina de trabajo y de pasar los días; con más pena que gloria.

Nuestro dramaturgo, a través del personaje de Esteban, pone a Blas en una situación nueva para él: decidir resolver lo que falla en su vida, en su matrimonio, porque está claro que quiere a su mujer y que debe mirar por el bien del hijo que ambos tienen en común. Debe enfrentarse a la situación, debe hacer algo, si quiere que su vida cambie, o mejor, se resuelva. No hacer nada no cambia nada, permanecer inmóvil no mejora o sitúa el conflicto en otro punto... Y es aquí donde entra en juego, en acción, el papel del otro para cada uno de los protagonistas de esta historia.

Determinante para Nina el encuentro con Blas porque le permite tomar conciencia de esta década fuera del pueblo, de lo que ha sido su vida, de que no sirve de nada huir sin dejar bien cerrado el pasado. Nina se da cuenta de que cuando huyó hace diez años lo hizo apresuradamente, siguiendo a Pedro, creyendo que por el mero hecho de salir del pueblo que la vio crecer iba a ser todo maravilloso, confiando en que todos la consideraban una artista, una chica que debía volar -como la Nina de *La Gaviota*-. Entre ellos permite cerrar una herida de manera permanente, porque ahora Nina decide marcharse para no volver porque sabe que si quiere un futuro mejor, una vida que la ilusione, la llene, salir de la angustia vital en la que se ve inmersa, debe dejar atrás el pasado, asumirlo y aprender de él en pos de un futuro esperanzador. Y Blas, a partir de ese encuentro, se da cuenta de que es necesario que decida qué quiere hacer; ya basta de dejarse llevar y seguir a los demás sin voluntad, pero sin oposición alguna. Queda en la conversación que mantiene con

---

8. FERNÁNDEZ DOMÍNGUEZ, José Ramón: *Nina* página 149 de la presente edición.

Esteban tras el encuentro sexual una suerte de indecisión que éste le demanda para su bien. Leemos:[9]

> [...] Mira, te voy a decir una cosa: lo que hagas está bien. Si te vas, está bien; si te quedas, está bien. Pero que sea porque tú lo decides. Tu vida va a empezar en cuanto que decidas algo. Si te quedas porque tú decides, a lo mejor le coges gusto y empiezas a decidir cosas, y ayudas a tu mujer.

A lo largo de la obra vemos cómo el conflicto que vive en cada uno de los protagonistas se ve superado tras la evolución de los personajes. Y dicha evolución parte del contacto con el otro.

La vida de una persona puede cambiar en dos segundos, porque las cosas nos trascienden dejando huella en nosotros. El encuentro que sucede entre ambos, la noche que pasan entre alcohol, recuerdos, conversación e intimación sexual, es el preludio, la antesala de lo que a partir de entonces serán sus vidas, porque como podemos leer al final de la obra:[10]

> A este día le seguirán otros, aunque ahora parezca imposible.

José Ramón Fernández crea personajes de carne y hueso y para ello, además de los diálogos se sirve de las didascalias, para conseguir que el personaje quede plenamente configurado como ser humano, con sus defectos, sus virtudes, sus miedos, sus anhelos... en definitiva, con la complejidad que a todos nos caracteriza.

El uso de las didascalias en nuestro dramaturgo alcanza una belleza digna de destacar, puesto que el gusto por la lengua, el origen de las palabras y el poder de la significación que de ellas se desprende es un valor añadido en la dramaturgia de J. R. Fernández.

---

9. *Op. Cit.* Página 139.
10. *Op. Cit.* Página 152.

ROSA SERRANO BAIXAULI

Nina no es la primera obra en la que vemos la utilización de las acotaciones de manera poética, ya en su obra *La tierra* observábamos el poder evocador de las mismas. Como el propio autor indica:[11]

> En *Nina* se pueden encontrar juegos formales que no me gusta evitar, como la presencia de citas literarias, musicales o cinematográficas, o la posibilidad de usar las acotaciones como un diálogo con el director de escena y los actores, sugiriendo, evocando, describiendo cosas que sólo podrá recibir el espectador a través de la piel de los actores. Curiosamente, ese tipo de didascalias -que los profesionales que han trabajado sobre mis textos me han dicho que les resultaban muy útiles- ha llevado a algunas personas a considerar *poco teatrales* mis textos. Esta manera de escribir -en la que reconozco, por ejemplo, una fuerte influencia de Eugene O'Neill- que parece querer cerrar la realidad con una excesiva cantidad de detalles, busca precisamente lo contrario: facilitar que el texto se disuelva en el espectáculo sugiriendo posibilidades, abriendo caminos para los otros creadores.

Abrir posibilidades para el resto de creadores -actores, director-, pero al mismo tiempo ayudar al lector, porque son este tipo de didascalias las que dan un carácter trágico a los personajes de la obra. En *Nina*, los personajes se nos muestran más humanos a través de las acotaciones; se nos abre la puerta a la psicología de los protagonistas. Y a medida que la obra avanza, la evolución de cada personaje -en especial del de Nina-, va evolucionando mediante los apuntes del autor:[12]

Está empapada. **La ropa, ligera, de quien se ha confiado al ver la luminosidad del día. Se había puesto guapa para alguien. [...].**

11. Edición del Teatro Español, Temporada 2006. *Nina* de José Ramón Fernández. Premio Lope de Vega 2003. Fragmento que se extrae de un artículo titulado "Verías el infierno", que el propio autor escribe para la edición que acabamos de citar. Pág. 80.
12. Recogemos en este punto algunas de las acotaciones que nos describen la personalidad, el estado de ánimo de la protagonista a lo largo de la obra. El subrayado es nuestro.

Ella prefiere no avisar. Prefiere no cruzar palabras con nadie.

"[...] el cuerpo de NINA, vencido sobre el mostrador, es de cristales."

NINA camina hacia el ascensor y pulsa el botón de llamada. Espera unos segundos. No da las buenas noches. Ella no es así. Ella pide las cosas por favor, da las gracias, es dulce. Ese hombre que le ha dado la llave le ha ofrecido prepararle algo para que cene. Preparar algo para ella. Pero no puede soportar hablar con nadie, tiene una bola de alambre en la garganta, una bola que ha fabricado gritando por el camino, gritando por encima del ruido de las olas.

NINA se pone el auricular en el oído y queda absurdamente muda, mirando las teclas. Está haciendo un esfuerzo sobrehumano por hacer las cosas normales que hace todo el mundo.

NINA descubre que necesita dejarse llevar, obedecer como lo hacen los enfermos.

Silencio. NINA bebe. Su modo de hablar empieza a ser turbio. Empieza a ser la maraña de casi todas las noches.

NINA está tomando confianza. Se siente segura. Blas es inofensivo, y hasta puede saber cosas acerca de cómo va todo por allí.

NINA aprovecha la broma y se escabulle. Evita cualquier roce con lo que pueda significar planes. No quiere pasar a hablar de los deseos. Hace demasiado poco que su único deseo era morirse.

NINA se oscurece de repente. La amargura de quien está convencida de que la desgracia no va a soltarla nunca.

Como vemos, queda así configurado un personaje pleno, redondo, completo y formado psicológicamente. A los lectores nos ayuda a visualizar y comprender mejor al personaje; al equipo que llevará a cabo la puesta en escena, le sirve de base para la construcción del personaje sobre las tablas.

Nina es de esas obras que trasciende en el tiempo y que podemos considerar universal, como comentábamos al inicio de estas líneas. Cada uno de los tres personajes que aparecen en presencia, así como de los nombrados, en ausencia, manifiestan la problemática de la existencia humana, los encuentros y desencuentros que propician las relaciones personales, porque como a nuestro dramaturgo le gusta siempre destacar:[13]

> "Aprendre que sóc només si existeixes i és aquesta mesura la que vull i em defineix."

Sirva este verso para cerrar el estudio de *Nina* y dar paso al comentario acerca de la segunda obra mayor, **Mi piedra Rosetta**; puesto que ambas se caracterizan por la defensa y necesidad de las relaciones interpersonales, de la relación con el otro.

Bruno es un virtuoso del violonchelo que ha perdido las ganas de vivir y su hermano Ariel vive preocupado por estas circunstancias. Éste quiere, por encima de todo, encontrar la manera de entender eso que hace su hermano cuando toca: la capacidad que su música tiene de provocar lágrimas de emoción en los que lo escuchan. Por este motivo llama a Victoria -una antigua amiga de Bruno- para pedirle que ayude a su hermano, puesto que él por sí mismo no puede. Un cuarto personaje, Nura -amiga de Victoria y bailarina- entra en acción ayudando a Ariel a sentir la música mediante el baile. Las circunstancias vitales que unen a estos cuatro personajes se basan en la soledad, la angustia, la lucha diaria y ante todo la necesidad del otro como elemento salvador de sus existencias. La obra finaliza con un abrazo conjunto que los une, los acerca y parece susurrar de fondo un: "nunca más estarás solo y ahora podrás con ese peso de la vida que te atormenta".

---

13. "Aprender que soy sólo si existes y es esta medida la que quiero y me define". Fragmento de la canción *Aprendre*, de Lluís Llach.

Si hay una obra de nuestro autor que refleje la necesidad del ser humano para relacionarse con el otro, como comentábamos, es ésta, sin lugar a dudas:[14]

> Esto me abocaba a uno de los temas que han habitado mi escritura: la necesidad del otro, lo que me lleva a escribir personajes complementarios, que solo se entienden como parte, reflejo de los demás. Así lo expresé en el texto que escribí para el primer dossier de la compañía sobre el espectáculo:

Mi piedra Rosetta primeros apuntes:

> Empiezo a escribir -no es verdad: llevo casi un año dando vueltas, llenando folios, odiando mis límites...- una historia en la que dos frases que componen mi vida se miran frente a frente: Una es de Joseph Conrad, muy conocida: "vivimos como soñamos, solos." a otra es de un poeta que amo, Lluís Llach: "aprender que soy solo si tú existes; y es esa medida la que quiero y me define".
>
> Es decir, **el otro, aquel sin quien no soy. Olvidar eso es acercarse a la muerte.** Ahora, en el momento en que empiezo a escribir, **esta es la historia de cuatro personas que, como todo el mundo, viven en esa pelea por alcanzar la mirada del otro, la palabra del otro.** En medio de sus vidas transitan la música, la danza, la emoción, la belleza, la melancolía, el deseo de matarse y el rabioso deseo de vivir.

Tomando como referencia las frases destacadas de las palabras de nuestro dramaturgo, "[...] el otro, aquel sin quien no soy. Olvidar eso es acercarse a la muerte." nos revela la intención y el significado que al inicio de esta obra[15] ya queda patente:

---

14. "Perspectivas críticas: horizontes infinitos: experiencias y reflexiones sobre el proceso de escritura de *Mi piedra Rosetta*". *Anales de la literatura española contemporánea, ALEC.*, Vol. 39, Núm. 2. Filadelfia, 2014, Págs. 461-483. El subrayado es nuestro.

15. Página 36 de esta edición.

Esta es una historia sobre las personas que tenemos al lado
Y no amamos lo suficiente.
Esta es una historia sobre lo pequeños que somos.
Sobre lo miserables que somos.
Esta es una historia sobre los momentos en que somos ángeles.

Los antecedentes ante los cuales nos encontramos gracias a esta didascalia son más que pertinentes. Pone en valor un elemento que se va a repetir a lo largo de toda la obra y que venimos comentando y defendiendo con respecto a la escritura de J. R. Fernández: la necesidad del otro. Por lo que respecta a los espectadores, el primer contacto con dicha necesidad lo reciben gracias a las palabras que en *voz en off* les apela[16]:

[...] En casa volvió la pregunta. Para qué vivir. Uno piensa eso porque piensa que está solo. **Cuando te quedas solo te viene a visitar la muerte.** La pura muerte. Cuando te quedas solo te vienen a visitar algunas notas de Ligeti y el horror del mundo.

Bruno es un virtuoso de la música, desde bien pequeño. Herencia de su abuelo -no sólo el instrumento- es la cualidad de músico que lleva a sus padres, visto su talento, a dejarlo en tutela profesional a un maestro llamado Guillaume. Su infancia y adolescencia está marcada por estar, en palabras de Victoria: "toda la tarde dándole a este chisme", refiriéndose al chelo. Ella hubiera querido estar en la calle jugando al balón, sin embargo habla de que en eso no son iguales, como en otras cosas, como por ejemplo la actitud ante la vida.

Bruno es un personaje oscuro, complejo, de los más complicados en cuanto a su psique de los que conocemos en las obras de J. R. Fernández. Es un personaje, como apuntábamos, de carne y hueso que evoluciona, acompañado por ese maestro al que venera, hasta el punto de que si no va a escucharle para él no merece la pena seguir tocando. En dicha evolución encuentra

---

16. Página 37 de esta edición. El subrayado es nuestro.

las carencias que tiene su música y se adentra en el mundo de la lectura y la literatura de las obras que toca en sus conciertos. Esa ventana al mundo real que le hace salir de su mundo al exterior le abre la mirada hacia el horror de la humanidad. Es por ello que se pregunta para qué vivir. El ser humano es capaz de lo mejor -las grandes composiciones, el arte más excelso- y de lo peor: los campos de concentración de Auschwitz, o Mauthausen, por ejemplo. Todo ello pesa en Bruno, que por su vida dedicada a la música tal vez no ha encontrado amigos, a personas cercanas con las que de verdad compartir sus alegrías o sus penas.

Esta desconexión de la humanidad, de los seres humanos cercanos, de su entorno y la conexión con los muertos a los que venera e interpreta con su chelo: Elgar, Schumann, Bach y Ligeti, lo postran en una condición de desagregado del mundo, de anómalo[17], de diferente.

El problema de verse totalmente desubicado del mundo reside en la incapacidad de compartir esos demonios que le atormentan para así librarse de la angustia vital. La única persona que tiene cerca, su hermano, no puede llegarle a comprender puesto que no oye y no sabe por qué la gente llora cuando él toca. La dificultad que esto entraña, la inviabilidad de encontrar un lenguaje que pueda unirlos en estas circunstancias de desaliento vital propician que Ariel, desesperado y sumamente preocupado por Bruno llame pidiendo ayuda a Victoria.

Las relaciones entre personajes opuestos[18] que vemos encabe-

---

17. "Que yo toco el violonchelo y él hace música. Es difícil de explicar. **Tu hermano es distinto. Tiene una anomalía. Tu hermano hace que la vida valga la pena, hace que los que le oyen piensen que la vida vale la pena**". Página 57 de la presente edición. El subrayado es nuestro.

18. "Ese juego de complementarios me lleva a una forma, casi barroca, de opuestos. Ariel no oye y Bruno es un virtuoso del violonchelo; Bruno no puede con su vida y Victoria no admite la posibilidad de un fracaso; Victoria, que se mueve en silla de ruedas, vive su vida como una batalla continua y Nura, que baila aún con limitaciones, vive las cosas como vienen, nada con

zada por Bruno ponen de manifiesto la necesidad del otro como toma de perspectiva. A veces, cuando uno se aísla, cree que lo que le pasa es la mayor de las desgracias. En muchas ocasiones la soledad nos hace tomar como único referente nuestras miserias sin tener en cuenta que hay muchísimas personas que entienden nuestro dolor porque lo viven a diario. El ejemplo de Victoria y la insistencia en que le ayude a preparar un falso concierto ayudan en realidad a Bruno, que poco a poco sale de su caparazón y se muestra tímidamente al mundo.

Así pues, vemos cómo todos los personajes giran en torno a Bruno, para hacer que no se sienta solo, tratando de ayudarle a encontrar el aliento que le permita seguir adelante: la compañía de los otros. Bruno descubre, a través de Nura, que su hermano y él tienen sueños parecidos, que ambos están intentando entender al otro con las limitaciones que esto conlleva para cada uno: Ariel no puede escuchar la música de Bruno y este no puede entender el silencio de aquel. Estas circunstancias le sorprenden al chelista cuando, en busca de ayuda se dirige a Nura; ha discutido con Victoria al enterarse del engaño y con Ariel por ser el artífice del plan por el que Victoria se acerca a él. Ha tratado con desdén, rabia y desprecio a las únicas personas que se preocupan por él, a las únicas que les preocupa que siga vivo y que recobre la voluntad de tocar y de vivir.

En ese encuentro con Nura, que se produce en el territorio de ésta, Bruno se escuda en su sufrimiento para argumentar el comportamiento reprobable con Victoria y su hermano. A lo que Nura le responde[19]:

> Muy original, eso de tener problemas. La gente, por lo general vive de puta madre. A nadie se le muere gente, nadie tiene

una extrema suavidad a través de las dificultades." Fragmento extraído de "Perspectivas críticas: horizontes infinitos: experiencias y reflexiones sobre el proceso de escritura de *Mi piedra Rosetta*". *Anales de la literatura española contemporánea*, ALEC., Vol. 39, Núm. 2. Filadelfia, 2014, Págs. 461-483. El subrayado es nuestro.

19. Página 97 de esta edición. El subrayado es nuestro.

gente enferma, nadie se queda sin trabajo. Perdona, no te estoy quitando la razón. Sé lo que te pasa. Yo he tenido algún rato esa sensación. Sé lo que es. **Te pesa la vida y te gustaría irte a la mierda. Es una incapacidad, como otra cualquiera. Unos no pueden oír o no pueden andar, otros no pueden con la vida. Todo se arregla igual. No estando solos.**

Los seres humanos vivimos con limitaciones, sean éstas físicas y visibles -la falta de una extremidad, de visión, del sentido auditivo...- o invisibles: depresión, dolor crónico de una parte del cuerpo, incapacidad de relacionarse con los demás, incapacidad de vivir y/o de ser feliz... La perfección no existe. Los seres humanos plenamente afortunados tampoco. La diferencia está en la actitud que tomamos ante la vida, la decisión de vivir la vida como un camino en el que "el otro", más allá de ser una necesidad, sea el receptor de nuestra voluntad por compartir. Compartir con los que nos rodean nuestras alegrías, nuestras penas, apoyarnos en los demás y permitir a otros que se apoyen para salvar los baches. La vida no es un camino de rosas, aunque sí por sus espinas; la vida es un viaje que merece la pena emprender si tenemos con quién; alguien que desde la generosidad -y no la imposición- se sienta libre de acompañarnos. Esta obra habla de dos aspectos que nos salvan la vida: el arte y las personas, porque al fin y al cabo, un concepto no tendría cabida ni sentido sin el otro. El arte es producto de los seres humanos que lo crean, sin ellos no podría existir; el arte también, pues, está pensado para goce y disfrute de aquellos que lo crean y para los que lo vayan a recibir.

El final de la obra -que remite en parte al inicio de la misma- es clarificador en este aspecto[20]:

Nura y Victoria abrazan a Bruno. Un abrazo largo, esperado. Un abrazo que dice eres parte de mi vida. Entra Ariel.

---

20. Página 98 de esta edición. El subrayado es nuestro.

En el hospital hubo un momento en el que se me abrió... no sé, algo así como la puerta de la muerte. Hay un momento en la noche de los hospitales, cuando la noche ya lleva mucho camino, muchas horas apretándote, en que ya no puedes más, en que el miedo te lleva a pensar que casi es mejor dejarse, que de todas formas no va a llegar el día. **Me estaba muriendo. Ya solo tenía que dejarme ir. La música. La posibilidad de volver a escuchar música me empujó para salir. En casa fue un infierno diferente. En casa la música no me pareció bastante. En casa volvió la pregunta. Para qué vivir. Uno piensa eso porque piensa que está solo. Cuando te quedas solo te viene a visitar la muerte. La pura muerte. Cuando te quedas solo te vienen a visitar algunas notas de Ligeti y el horror del mundo. Con mis dedos toco el dolor del mundo, porque la música es la historia viva de la humanidad.** Eso decía un libro que me dio mi maestro Guillaume. **Y a veces te viene a visitar la idea de que la música no puede compensar el mal y que entonces nada vale la pena. La idea de que todo el mal es posible y fácil. De que no vale la pena un segundo de belleza si todo el mal es posible y fácil.** Y recuerdas que has querido mirar y has querido saber. Y te acuerdas del mal que has conocido y eres incapaz de pensar en otra cosa. **Y no tienes fuerza y quieres dejarte caer en un mundo de silencio, de muerte en vida. Entonces se acercó mi hermano y os trajo a vosotras.**

Bruno y Ariel se miran. Tal vez se han encontrado. Tal vez por fin se han encontrado y las cosas pueden comenzar.

Bruno encuentra su propia identidad renovada en su relación con los otros. Es la música lo que le anima a no dejarse morir y es la música la que propicia a través de las personas su salvación. Victoria es una amiga proveniente de sus estudios musicales en el conservatorio, Nura baila gracias a la música y su hermano encuentra, pese a sus dificultades, la manera de sentir la música a través del baile.

"La música es la historia viva de la humanidad", estos seres humanos son claro reflejo de ello, porque la música es la historia de la vida de estos personajes, que son humanos. Seres humanos de carne y hueso, de los que le gusta hablar a J. R. Fernández; personas comunes, normales, que sienten, que se ilusionan, que padecen, a las que les pesa la vida y siguen adelante porque tienen a otras que les recuerdan que siempre hay algo que les merece la pena: una película, un libro, una obra de teatro, una canción, una puesta de sol... Arte que nos salva de la vida.

Algunos apuntes sobre las piezas breves por orden de aparición en este volumen[21]:

> Obra corta, en mi opinión, es aquella que no tiene la duración de un espectáculo convencional pero puede representarse como pieza autónoma. No es una escena, sino una pieza completa. Puede representarse sola, en algún acto especial, o puede unirse a otras piezas breves y componer un espectáculo.
> [...] en estas piezas breves somos más valientes, porque las usamos para experimentar, sobre todo con recursos formales. En ellas, como mencionaré más tarde, encontramos rasgos de escritura que luego volvemos a utilizar en las "piezas mayores".

El silencio de las estaciones

María/Irene: una que regresa, otra que se marcha...

En esta obra se juega de forma velada con el tiempo, recurso al que nos tiene muy acostumbrados J. R. Fernández desde sus comienzos[22] y que le sirve para plasmar de manera gráfica, casi plástica el funcionamiento de la memoria en el ser humano. Las contradicciones en las que caemos, el paso de los años y el consiguiente cambio de perspectiva que de ello se deriva, así como

---

21. *El teatro breve en los inicios del siglo XXI: actas del XX Seminario Internacional del Centro de Investigación de Semiótica Literaria, Teatral y Nuevas Tecnologías.* "Teatro breve como primer apunte y como trabajo en común. Algunas experiencias personales (2000-2010)" José Ramón Fernández, páginas., 63-77.

22. En *Para quemar la memoria* ya encontramos cierto bucle temporal que incluye saltos cronológicos.

la capacidad selectiva de nuestra memoria para resaltar aquello que determinó o cambió el rumbo de nuestras vidas; todos estos elementos entrelazados en un tiempo que se desdobla y que a su vez, por ende, acaba por duplicar al personaje en un tiempo pasado y en el presente que determina la acción.[23] Porque cabe aquí inferir una pregunta: ¿no son María e Irene –protagonistas de esta historia- la misma persona pero con treinta y veinte años respectivamente? Una primera lectura rápida del texto nos hará pensar que son hermanas, atravesadas por la misma desgracia; sin embargo parte del diálogo -y muchas de las didascalias- nos hacen ver que en realidad se trata del mismo personaje que está teniendo una conversación -que acaba rozando el reproche- con la persona que se fue, con su yo de una década atrás. Parece querer advertir el yo del presente al yo de otro tiempo que la mejor opción no es huir, porque no sirve de nada. Los problemas, el peso de la vida, los anhelos, en muchas ocasiones necesitan de una resolución concreta en el lugar que se sucedieron para poderse salvar, de lo contrario te acompañan allá donde vas.

Veamos un ejemplo de dicho desdoblamiento a través del diálogo, como apuntábamos:[24]

IRENE
Jesusa se murió este verano. Llevo tres meses con padre. **Hemos vivido solos tres meses.** No he visto a nadie en ese tiempo.
[...]
MARÍA
Me fui de aquí para no estar sola con mi padre. Cuando Jesusa se murió nos quedamos solos. **Vivimos solos tres meses.** Cogí el primer tren. Me fui para no matar a mi padre.

---

23. El ejemplo más claro lo encontramos en *La tierra* puesto que las escenas se ven diferenciadas mediante el uso de Antes y Ahora, para contar una historia que sucedió y cuya repercusión aún sigue viviendo años después.
24. Páginas 156 y 157 de la presente edición. El subrayado es nuestro.

Cabe destacar el uso del pasado en dos tiempos verbales muy diferenciados. El pretérito perfecto compuesto -hemos vivido- indica un tiempo acabado pero cercano al momento del habla; frente al pretérito perfecto simple -vivimos- que connota un tiempo acabado pero lejano con respecto al presente en el que se enuncia. A través de estas dos intervenciones se nos revela la verdadera problemática de la obra, del personaje, un único personaje femenino que desdoblado en el tiempo y tomando como referencia el mismo lugar, una estación, se halla ante un momento crucial de su vida: revisar su pasado porque influye directamente en su presente; aprender de aquel tiempo que fue le permitirá vislumbrar, acaso, un rayo de esperanza de cara al futuro que está por venir.

En la primera acotación se nos informa acerca de la edad de María[25]:

Se oye llegar un tren. Se detiene. Al poco entra MARÍA. Es una mujer de unos treinta años, que cuida su aspecto con la elegancia humilde que queda al alcance de su poco dinero.

Y más adelante Irene hace referencia a su edad cuando se queja de su despiste:[26]

IRENE
Tengo veinte años y no sé hacer una maleta.

Los lectores contamos con una ventaja, puesto que la indicación de la primera didascalia es pertinente, si bien no obsta el entendimiento de que ambos personajes son uno solo, por el ejemplo que hemos señalado dentro de las intervenciones de las dos mujeres.

De la lectura -y muy probablemente de la puesta en escena- de la obra se colige que María ha huido de un pueblo que la

25. Página 155 de la presente edición.
26. Página 158 de la presente edición.

ahogaba, la oprimía… de una vida que no sentía como plenitud existencial. Imbuida por ese sentimiento de necesidad de desarraigo con respecto a su padre decide huir haciendo creer a éste que está en Santiago, cuando realmente se traslada al pueblo de al lado siguiendo un amor idealizado al que se nombra como "el capitán". El encuentro que se produce en la estación no es otro que el encuentro consigo misma; el diálogo, pues, es producto de la necesidad de poner en orden el yo que fue y el que es. Este último le reprocha a aquel el haber optado por un camino equivocado, ambas partes -tomando la forma de mujeres- quieren hacer ver a la otra su error en la decisión tomada: marchar y volver.

La semejanza que vemos entre las dos mujeres irá en aumento llegando a intercambiar los roles difuminando así quién es quién y que no podamos determinar cuál es la decisión acertada; pese a que el final de la obra parece dejar patente que cada una lleva a cabo lo que era su intención realizar, puesto que Irene dice al final de la obra: "Ese tren es el mío".

De la obra se desprende una reflexión que constituye un eje de escritura en nuestro dramaturgo: el conocimiento del pasado y su relación con el presente[27], puesto que María se da cuenta de algo muy importante. Leemos:[28]

IRENE
Tengo miedo.
MARÍA
¿Miedo?
IRENE
Miedo de ir. ¿Por qué tengo que ir?
Pausa.

---

27. SERRANO BAIXAULI, Rosa: *Una escritura comprometida con su tiempo. El teatro de José Ramón Fernández. (1992-2012).* Tesis doctoral en la que se defienden siete ejes de escritura o constantes recurrentes en el teatro de J. R. Fernández. http://roderic.uv.es/bitstream/handle/10550/50526/TESIS_ROSA_SERRANO.pdf?sequence=1

28. Página 159 de la presente edición. El subrayado es nuestro.

Tengo que ir por tu culpa. Eres la parte de mí que no será
feliz en ningún sitio.
MARÍA
No te irás. Quítatelo de la cabeza.
IRENE
¿Qué me importa Santiago? ¿Por qué **tengo** que ir a Santiago?
Yo **nací** aquí. **Pude** vivir tranquila entre esta gente.

El contraste de ambos personajes treinta/veinte años; el contraste entre regresar/marchar y el marcado uso de los tiempos
verbales en presente -tengo- frente al pretérito perfecto simple
-nací y pude-, demuestran y reafirman que la protagonista,
desdoblada en ahora -presente- y antes -pasado- lucha consigo
misma. Tal y como veíamos en *Nina*, es echar la vista atrás y
darte cuenta de que ninguno de tus anhelos e ilusiones había
llegado a buen puerto. El fracaso impreso, una vez más, en la
piel de una mujer joven, treinta años como límite simbólico entre la juventud y la adultez.[29]

Ambos personajes femeninos, el personaje de *Mariana*[30], así
como los dos que analizaremos en la pieza breve *Si amanece nos
vamos*, son la antesala psicológica del personaje que hemos visto en *Nina*. Nina es deudora de todas estas premisas de la psique femenina, mediante la cual se acaba erigiendo el personaje
protagonista de una obra que trasciende, que nos toca, que nos
llega, que nos hace empatizar y vernos sumamente reflejados.

Dos

Dos es una obra que habla de los tabúes, de la carencia de
libertad, de la cotidianeidad de una vida en dictadura. Situada

29. Querencia de nuestro autor poner el acento en la década de los treinta-
ñeros como paso determinante en el que uno considera que debe tener ya un
rumbo fijo o estabilidad, o al menos es lo que uno espera de sí mismo cuando
tiene veinte años. La frustración, el desasosiego y la desazón residen en pa-
rarse a reflexionar y ver que no se ha alcanzado lo que se anhelaba con tanto
ímpetu. De ahí la sensación de fracaso.
30. FERNÁNDEZ DOMÍNGUEZ, José Ramón: *Palabras acerca de la guerra:
Mariana, El cometa, 1898*. Madrid, Colección Antonio Machado, Visor, 1996.

en el taller de una empresa de transportes, dos hombres mantienen un diálogo acerca de fútbol y de cine. Es una pieza breve -de apenas doce páginas- pero en la que se concentra toda la significación posible de una vida regulada por el silencio y por el miedo a significarse de alguna manera. Al final se nos abre una puerta hacia el tema de la homosexualidad. ¡Qué difícil debía resultar en ese tiempo no atender a lo que el régimen dictaba: iglesia y tradición! En la obra se nos invita a conocer cómo debía comportarse la gente en su trabajo para no ser señalado, repudiado, marginado... Leemos[31] en boca de Luis:

> No se trata de que me molestes a mí. No puedes ir por ahí hablando del maquis como quien habla del tiempo. Te lo digo por eso. Y encima, con lo del fútbol te estás significando. Deberías enterarte un poco. Por lo menos para decir cuatro bobadas, como casi todos. Aquí, de todo el taller sólo vamos al futbol tres, y uno es del Atleti, así que no cuenta. Tú con decir lo que dicen los demás y lo que oigas en la radio ya te vale. Yo lo digo por tu bien.

La obra invita a la reflexión de todos aquellos temas que en un régimen dictatorial quedan al margen, que quizás nadie se pregunta, de los que nadie habla. J. R. Fernández los trata desde la voz de unos personajes intensos, con pasado, con psicología, que nos tocan en lo más hondo y nos transmiten una invitación a la reflexión.

En esta obra vemos claramente la necesidad de encontrar al otro mediante el gesto, una caricia, un igual en un mundo donde la diferencia está penalizada debido al tabú que existe hacia el tema de la homosexualidad. El acercamiento que se produce entre ambos hombres vislumbra una esperanza para cada uno de ellos, puesto que al inicio de la obra, en la primera didascalia podíamos leer[32]:

---

31. Página 171 de la presente edición. El subrayado es nuestro.
32. Página 163 de la presente edición.

[...] *Las miradas hablan de desesperación y de ternura. Viven en un país y en un tiempo sucios y secos, donde la ternura puede ser, como afirma Marx acerca de la vergüenza, un sentimiento revolucionario.*

Si en cualquier momento de la existencia de los seres humanos necesitamos de los otros, más patente se hace dicha necesidad en momentos históricos complicados. La dictadura española fue una época gris, complicada, marcada por la barbarie y la sinrazón en la que salirse de las normas establecidas era motivo de condena y vejación. La posibilidad de encontrarse con alguien que sienta como tú, que te entienda y te acompañe da lugar a la esperanza que vemos al final de la obra, cuando leemos[33] la última acotación:

Suena una canción en la radio, las primeras notas, Se vive solamente una vez, la voz de Antonio Machín. **Los hombres se miran a los ojos.** *Lentamente se pierde la luz.*

Si amanece nos vamos

Esta pieza teatral toma como punto de partida un grabado de Goya en el cual se ven unas brujas horribles. Debajo del grabado[34] se lee: "Si amanece; nos vamos." El enfrentamiento entre la Razón y la ignorancia, la renovación y la tradición se ven ilustradas bajo la crítica de este magnífico pintor.

Por su parte, J. R. Fernández, toma este grabado para hablar de los miedos de los seres humanos, la actitud ante las tragedias y de lo particular, una historia familiar como cualquier otra, hace extensa la problemática que nos es común y general a todos. Es esta obra una muestra más de lo que venimos defendiendo: las historias nos trascienden, nos enseñan, nos hacen reflexionar.

---

33. Página 174 de la presente edición. El subrayado es nuestro.
34. DE GOYA Y LUCIENTES, Francisco: Si amanece; nos vamos es un grabado de la serie *Los Caprichos*. Está numerado con el número 71 en la serie de 80 estampas. Se publicó en 1799.

Si amanece nos vamos es una pieza breve escrita a partir de una propuesta colectiva del teatro del Astillero. Es una **exploración en el infierno de la desgracia.** Una muchacha que vive su vida destruyéndose, incapaz de soportar el daño que le ha hecho la desdicha de los que le rodean; y una mujer, que fue su criada y más tarde la compañera de su padre, que trata, dentro de su limitación, de ayudarla. **Marta y Adela son dos maneras de dibujar eso que nos pasa a menudo: que el mundo es demasiado grande y difícil, que a veces se hace insoportable para seres normales y corrientes.** Hay un proverbio que dice Mariana[35] y que podría repetir Marta: «Que no sufras todo el dolor que eres capaz de soportar». Nina tiene que ver con Marta, de *Si amanece nos vamos*. De hecho, me planteé copiar exactamente algunos párrafos de Marta en los momentos más violentos de *Nina*. La diferencia, creo que ya lo he dicho, es que Nina toma una decisión, trata de salir del agujero, en tanto que Marta está totalmente hundida. Hay un nexo que une a todos estos personajes femeninos: su dolor es el reflejo de lo que les ocurre a los que aman. Su nexo es precisamente ese: aman.[36]

Nuestro dramaturgo relaciona al personaje de Marta -su angustia vital- con el de Nina. Así pues podríamos aventurar que la pasividad absoluta que refleja Adela en esta obra se corresponde con la que comentábamos de Blas en *Nina*. Adela adopta de buena gana el papel sumiso de criada, de sirvienta, de secundaria en la obra de teatro que es la vida. Incluso parece dejar entrever que la posición alcanzada tras ser la pareja del padre de Marta es una suerte que nunca mereció, puesto que la iguala de alguna manera al que fue su señor, su amo. Y todas estas circunstancias y vicisitudes impregnan su existencia sin apenas ella ser consciente, sin actuar, sin decidir.[37]

35. FERNÁNDEZ DOMÍNGUEZ, José Ramón: *Palabras acerca de la guerra: Mariana, El cometa, 1898*. Madrid, Colección Antonio Machado, Visor, 1996. Personaje de la primera obra de las que acabamos de citar.

36. GABRIELE, John P.: *Los dramaturgos hablan: entrevistas con autores del teatro español contemporáneo*. KRK Ediciones, Oviedo, 2009. Páginas 243 y 244. El subrayado es nuestro.

37. Al igual que Blas, que no ha decidido ni emprendido nada en su vida, simplemente se dedica a ser un peón movido por una mano extraña en la partida de ajedrez con el que podemos comparar la vida humana.

El personaje de Marta -Martita-, por el contario, es un ser amargado, descorazonado, hundido, que únicamente parece sacar fuerzas y destellos de "vida" para resarcirse de forma vengativa contra Adela porque ésta se fue un día a vivir con su padre. Destaca claramente esa ira que es capaz de rescatar de su interior en un momento de su vida en la que le invade el miedo y el sufrimiento tras la pérdida de un ser querido muy cercano, -su marido-. Sin embargo vemos que esa forma de canalizar tanto dolor esconde una pesadumbre aún mayor: sus miedos. Leemos[38] como dice:

MARTA
Como me digas que vienes a darme el pésame rompo la botella y te la clavo en la cara. No te he dicho que entres. Es igual. Estás en tu casa. Al final fue tu casa, por lo menos un par de años. Esta botella ya ha hecho su servicio.
[...]
Ahora es el lema de mi vida. Se apagan las luces, se encienden los sueños. Se apagan las luces y empieza el horror. Y no sé si cerrar los ojos o si dejarlos abiertos y empiezo a notar que la habitación totalmente a oscuras se va enfriando poco a poco y empiezo a sentir que hay alguien más en la habitación y que alguien me toca el pelo. Y pasan las horas y tengo ganas de mear pero no me atrevo a ir al baño porque tengo que andar por el pasillo a oscuras y luego en el baño me espera el espejo.
Una manera de no volverme loca puede ser hablar con esta imbécil.
[...]
Será la edad. O será que no puedo dormir, que desde que soñé con el demonio no soy capaz de cerrar los ojos estando a oscuras. No sé. Por si me lo encuentro. En el sueño había luz. Estábamos ahí, en el cuarto de estar. Mi padre, mi hermano y yo. Tú no estabas, lo siento. Habíamos cenado. Mamá estaba en su habitación. Entró alguien. Vestía ropa oscura. Era una persona idéntica a mí. Más delgada. Me miró. Me sonreía. Alguien dijo "es el demonio". No recuerdo más. Pero ahora es uno más de mis miedos, como el de quedarme a oscuras y notar que alguien me toca el pelo, o el de mirar al espejo y ver que la que

_____
38. Páginas 179, 180 y 182 de esta edición.

está en el espejo me sonríe, o ver a otra persona detrás de mí en el espejo. O no reconocer los ojos que me miran, que soy yo pero hay alguien más dentro de mí. Todo eso se va con la luz del día. También se va si tomo seis pastillas como esta, pero esto último tiene la pega de no saber si voy a despertarme. Bueno, a veces no sé si eso es una pega ¿es una pega? Se llama orfidal y me la ha dado el médico, una buena persona, no te hace creer que le interesas, hace su trabajo. Me tengo que tomar una de estas otras todos los días, y si tengo problemas para dormir, el médico dice que tengo que tomar media de estas, pero solo si es necesario porque causan adicción. Es bueno conocer la causa de las cosas. En vez de media, me tomo seis. El único peligro es no despertarse. Pero la mayoría de las noches tengo más miedo a la oscuridad que a no despertarme. Y a lo que de verdad tengo miedo es a despertarme y que esté todo a oscuras. Eso sí es malo.

[…]

Qué palabra más gilipollas, pesadillas. [...] **Lo más importante que me pasa en mi vida son mis pesadillas. Malos sueños. Mal sueño. Sueño del mono loco. Sueño oscuro.**

[...]

Ya **empieza a asomarse** el sol. Ya se van las brujas. Era un dibujo que tenía mi padre, un grabado de Goya. Lo tenía enmarcado, estaba en su despacho, en medio de todas sus fotos con gente importante que ya nadie sabe quiénes son. Ministros y cosas. **Era un dibujo de dos brujas horribles**. Y debajo una frase. **Si amanece nos vamos.** Voy a ver si duermo un rato. Tienes varias botellas de cerveza debajo del fregadero. No están frías.

ADELA

No importa. Gracias, cariño. Que duermas bien. Que duermas. **No hay nada peor que el miedo. No hay nada peor que el miedo que no se puede contar. Cuando no sabes si pasan cosas horribles o si te has vuelto loca. El miedo a no poder decir tengo miedo de eso que veo en la pared y que a lo mejor no existe pero yo lo estoy viendo y no puedo dejar de mirar. Ese miedo.** Lo mejor del mundo es no pensar. Beber una cerveza y no pensar.

[...]

Me beberé otra cerveza y luego **volveré a la casa para estar con Marta**, para **por si le hace bien estar con otra persona** en aquella casa y no sola en aquella casa que parece que saliera de la niebla cuando se hace de noche. Dentro de una hora será de noche, así que ponme otra cerveza, cariño, que me tengo que ir.

A través de los diversos diálogos de ambas mujeres nos damos cuenta de las dificultades con las que se encuentra la gente de carne y hueso, común y corriente de la que habla J. R. Fernández en muchas de las entrevistas que se le han realizado a lo largo de todos estos años de escritura. La necesidad del otro y el vínculo que establecemos con los demás determina quiénes somos, en definitiva. Marta es producto de una serie de infortunios y desgracias difíciles de soportar y superar en la naturaleza humana. Adolescencia marcada por una enfermedad larga de la madre; ella ingresada en el hospital -que no llegamos a saber de qué se trata pero intuimos que podría ser psicológico-, parece vislumbrar la felicidad tras su boda con un chico que fatídicamente pierde la vida en un accidente de coche... Una existencia marcada por la tragedia, ante la cual ya no queda nada y por ende nada merece la pena. Un personaje femenino muy marcado por la desgracia que, como comentaba el propio dramaturgo, ve los ecos en Nina, con la condición determinante de que el personaje homónimo de *La gaviota* toma una decisión valiente, fuerte y firme: intentar un futuro mejor en el que poder ser feliz.

La misma arena

La misma arena nos habla de la necesidad del otro para solucionar un conflicto que va más allá de lo personal o particular, sino que se centra en una generalización de contiendas bélicas llevadas a cabo por países que pretenden anexionar por la fuerza otros territorios. Aquí ya no vemos un interés en el otro para soportar o sobrellevar nuestra existencia y nuestro dolor, sino como una ayuda que propaga y extiende la vida de una comunidad, de un pueblo.

La misma arena es un texto escrito para una jornada sobre el Sáhara en la Universidad Carlos III. Fue lectura dramatizada, junto a textos de Lola Blasco, Antonio Rojano e Itziar Pascual. En ella se reflexiona acerca del conflicto del Sáhara Occidental, en el que como siempre, los afectados son los seres humanos que viven en la zona de conflicto. La obra plantea una reflexión a modo de pregunta[39]:

> Te he dicho en tu cara
> que **necesito tu ayuda**. Ahora
> no puedes no saberlo.
> Solo quiero dejarte una pregunta.
> **Si me cierras la puerta, ¿qué me espera? Esa pregunta
> será tu compañía para siempre.**

Llama la atención y conviene destacar que en esta obra J. R. Fernández no establece los diálogos señalando o acotando quiénes los profieren. No sabemos si quien habla es hombre, mujer, ni conocemos su edad, ni su origen. Con ello consigue que las palabras trasciendan más allá de una contienda concreta, puesto que las guerras forman parte de nuestra historia pasada, presente y, por desgracia todo indica que también de la futura.

El poder de las palabras cobra aquí especial relevancia, puesto que se pretende dejar para la reflexión y como ente propio una pregunta, una sentencia que perdurará en el tiempo y acompañará a todos aquellos que ante las injusticias se empeñan en no hacer nada y mirar para otro lado. Las palabras, pues, aquí son armas poderosas para la lucha, para la revisión, para la reflexión... Como dice una canción[40] del siglo XXI: "menos mal que con los rifles no se matan las palabras".

Como conclusión a esta obra, -así como al estudio que nos ocupa- y haciendo honor al título de este estudio, las palabras,

---

39. Página 193 de la presente edición. El subrayado es nuestro.

40. FITO Y LOS FITIPALDIS: Verso de la canción *Abrazado a la tristeza*, que pertenece al álbum *Por la boca vive el pez*, año 2006.

las preguntas que invitan a la reflexión y que por tanto nos acompañan allá donde vamos tienen que ver mucho -o quizás incluso todo- con el arte. El arte imprime valor a nuestra existencia pues nos ayuda a aferrarnos a la belleza. La belleza del arte nos toca, nos transciende y consigue que algo de nosotros cambie para siempre, en el más afortunado de los casos, para mejor. Las obras de arte nos acercan la realidad más recóndita, la que nos es más difícil aprehender desde nuestra rutinaria cotidianeidad. Un grabado de Goya nos hace sentir la desolación, la barbarie, el horror o el miedo de aquellos que sufrieron en su época y al mismo tiempo nos acerca a la barbarie que supone una guerra en cualquier punto de la geografía mundial en cualquier momento histórico. Asimismo *La misma arena* o muchos de los textos de J. R. Fernández nos acercan a los seres humanos en las contiendas, a su sufrimiento, a su desazón, a sus pérdidas, sus miedos y su dolor. Da la voz a los que sufren e imploran la ayuda del resto para acabar con la injusticia, porque en una guerra no existen vencedores o perdedores cuando perecen vidas humanas. Y he ahí el valor del arte, del arte que nos salva la vida entendido en dos perspectivas: el arte nos abre el camino a la esperanza porque la voluntad de disfrutar de la belleza nos anima a seguir luchando y, por otra parte no menos importante, nos enseña -siempre que estemos dispuestos- lo que aconteció en otro tiempo o que sucede en este momento para que reflexionemos, para que valoremos y tratemos de favorecer la creación de una sociedad más justa que no caiga en los mismos errores una y otra vez. Una sociedad que rechace vehementemente la guerra, las muertes indiscriminadas de inocentes civiles cuya única culpa es haber nacido en un territorio concreto. El arte, en esta segunda perspectiva, nos puede salvar la vida.

Rosa Serrano Baixauli

MI PIEDRA ROSETTA

JOSÉ RAMÓN FERNÁNDEZ

Esta es una historia de amor.
Una historia sobre el amor de un hermano.
Esta es una historia sobre las palabras.
Esta es una historia sobre la belleza.
Esta es una historia sobre las personas que tenemos al lado
Y no amamos lo suficiente.
Esta es una historia sobre lo pequeños que somos.
Sobre lo miserables que somos.
Esta es una historia sobre los momentos
en que somos ángeles.
Os quiero contar la historia del día en que conocí el silencio.
Si tuviera el barro y la niebla os podría
decir aquí tenéis el barro y la niebla.
No os puedo decir aquí tenéis el silencio.
Tampoco puedo hacer que lo comprendáis.
No lo podéis comprender y yo tampoco.
Pero puedo contaros la historia de Ariel.
Ariel buscó la música en el silencio
para poder abrazar a Bruno.
El silencio no es lo que pasa cuando no hay ruido.
El silencio solo se puede encontrar en la música.
Por eso os tengo que contar una historia sobre la música.
Y sobre el amor de dos hermanos.

DRAMATIS PERSONAE:

NURA Fue bailarina, hasta hace poco. Ahora enseña baile. Pasan cosas cuando ella sonríe.

BRUNO Virtuoso de violonchelo, hasta hace poco. Ahora no sabe qué va a hacer. Ahora se pregunta para qué vivir.

ARIEL Hermano de Bruno. Cuida de él. Ariel es sordo.

VICTORIA Toca el violonchelo. Es amiga de Nura y de Bruno. No puede andar. Se mueve en una silla de ruedas desde los diez años. No sabe rendirse.

0. BRUNO

Bruno, la voz de Bruno en la oscuridad, dentro de tus ojos cerrados.

La música. La posibilidad de volver a escuchar música me empujó para salir. En casa fue un infierno diferente. En casa la música no me pareció bastante. En casa volvió la pregunta. Para qué vivir. Uno piensa eso porque piensa que está solo. Cuando te quedas solo te viene a visitar la muerte. La pura muerte. Cuando te quedas solo te vienen a visitar algunas notas de Ligeti y el horror del mundo. Con mis dedos toco el dolor del mundo, porque la música es la historia viva de la humanidad. Eso decía un libro que me dio mi maestro Guillaume. Y a veces te viene a visitar la idea de que la música no puede compensar el mal y que entonces nada vale la pena. La idea de que todo el mal es posible y fácil. De que no vale la pena un segundo de belleza si todo el mal es posible y fácil. Y recuerdas que has querido mirar y has querido saber. Y te acuerdas del mal que has conocido y eres incapaz de pensar en otra cosa. Y no tienes fuerza y quieres dejarte caer. En un mundo de silencio.

1. UNA BOLSA DE HIELO

Tus ojos ven una gran pared de cristal. Tus ojos ven también una pared de espejo atravesada por una barra de madera. Tus ojos ven lo que hay detrás de la pared de cristal. Tus ojos ven un bosque bañado por un sol dulce, la falda de una montaña, un poco de cielo azul, de ese color azul que hace pensar que la vida es hermosa o que puede ser mejor mañana. Ahora tus ojos ven a NURA en la sala de baile, dentro de la pared de cristal. Tus ojos ven que NURA baila. NURA baila una música llena de líneas rectas, llena de aristas. Difícil. NURA baila y pelea. Con la máxima concentración. NURA baila una música que tal vez solo suena en su cabeza. Una música que tensa su cuerpo, que lo estira. NURA se resiente de su lesión. Se detiene. Aprieta un vendaje, tal vez en la rodilla. Vuelve a bailar. Se sienta. Se aplica hielo y mira al bosque. Sus ojos están repasando cada gesto de la coreografía, mientras se bañan en la luz de oro del atardecer.

2. ESTOY BIEN

Tus ojos podrían ver una casa. Tus ojos podrían ver esa casa por la noche.
Podrías sentir frío. Podrías estremecerte por el primer frío del final del ve-
rano. Entonces te darías cuenta de que alguna de las puertas de cristal está
abierta. De que la brisa de final del verano infla las cortinas, como fantasmas
cansados. Te darías cuenta de que detrás de esa pared de puertas de cristal
hay un jardín oscuro. Tus ojos se acostumbran y comienzan a recorrer
los muebles, los libros. Se detienen en el violonchelo, que se deja acariciar
por la poca luz que lo alcanza. Tus ojos descubren a BRUNO.

BRUNO deambula por la casa. Mira por el ventanal. Tus ojos ven a
su hermano. Tus ojos ven los ojos de ARIEL mirando a BRUNO.
Vigilando a BRUNO por la noche.

BRUNO camina con dificultad. Flaquea. Se apoya en algún mueble.
ARIEL se acerca rápido para ayudarle. BRUNO se lo agradece, pero
con un gesto suave le dice que no lo necesita. ARIEL se detiene frente a él
y usa sus manos para decirle

¿Estás bien?

BRUNO le mira, se da la vuelta. Su boca tiene, aunque amargo,
el dibujo de una sonrisa; algo así como una expresión de dulzura,
debajo de todo lo demás.

Bien, o te cuento.

ARIEL le obliga a volverse, para mirar su cara,
para mirar su boca cuando dice

Estoy bien.

Los ojos de BRUNO vuelven a mirar lo oscuro. El lugar donde la luz
mostraría árboles cuidados, con hojas de un verde que juega con el negro.
Tus ojos ven de qué manera pesa el silencio.

BRUNO se vuelve y mira a su hermano. Durante un rato mira a su
hermano. Con seriedad. Como si lo estudiara. Como se estudia un ob-
jeto para dibujarlo. Así, pasan segundos. Un instante hondo, hasta que
ARIEL decide ir a otra parte de la habitación. Va hacia la parte de la habi-
tación donde está el violonchelo. Lo toma y vuelve al lado de su hermano.
Los ojos de ARIEL interrogan o proponen.

No. Todavía no.

3. ALGUIEN IMPORTANTE

Tal vez un bastidor de facebook. Buscar. VICTORIA Cifuentes Pastrana. Mensaje. VICTORIA. Soy ARIEL, el hermano de tu compañero BRUNO. Seguro que te acuerdas. Necesito pedirte un favor. Es muy importante. Es muy importante.

Tus ojos miran a VICTORIA y VICTORIA mira a NURA. NURA hace brazos frente al espejo. La sala de ensayos. La luz de oro de la tarde. Tus ojos seguramente se detienen, con una curiosidad inevitable, en la silla de ruedas que ocupa VICTORIA.

Entonces, ya puedes bailar.

Puedo bailar dos minutos. Y no sabes lo que me duele después.

Pues no lo sé. Y mira que me gustaría.

Siempre duele. Y siempre va a doler. Eso me han dicho. Lo malo no es que duela. Es que hay cosas que no voy a volver a hacer. Me he hecho vieja de golpe. Lo bueno de hacerse viejo es que te iguala. Dentro de nada, de diez años, o menos, mis compañeras del ballet tampoco podrán hacerlo. ¿Tú sigues en el mismo horario?

Es que si cambio me ponen con otro. Si no tuvieras esta clase podríamos ir juntas.

Ya no tengo esta clase. En esta hora no viene nadie. Me da rabia por la luz. La luz de esta hora es la mejor. El mes que viene la tendré que dejar. Y esta luz tan bonita es de lo poco bueno que me ha pasado en años. Ya ves.
Espera, quédate así.

VICTORIA fotografía a NURA con su teléfono móvil.

Lo voy a poner en mi muro. Mi amiga Nura dándole luz a la tarde.

VICTORIA atiende a su teléfono. Mira en silencio.

No eres tú muy rápida con eso.

No. Es que tengo un mensaje del más allá. Bruno.

¿Quién es Bruno?

Una persona importante en mi vida.

No me cuentas nada. Vienes, te plantas ahí a mirar cómo bailo y ya no me cuentas nada.

Solo vengo a copiarte las coreografías.

Me gusta mucho que vengas a verme. Me cargas las pilas. No sé cómo lo haces, pero lo haces.

No vengo por ti. Vengo porque tienes un montacargas de puta madre. Me encanta subir y bajar en tu montacargas.

4. NECESITO UN FAVOR

La casa de BRUNO y ARIEL. Tus ojos miran a VICTORIA y los ojos de VICTORIA miran todo y sonríen. Recuerdan. VICTORIA habla y los ojos de ARIEL buscan su boca y sus palabras.

No hace falta que me lo escribas. Tú y yo siempre nos hemos entendido. Y tengo amigos que me enseñaron un poco.
Hace siglos estuve aquí. Así que mi amiguito no quiere salir de casa.

VICTORIA mueve su silla de ruedas, avanza hacia el jardín. Las puertas están abiertas. Ya no es tiempo, pero las puertas están abiertas y hasta ellos llega ese aliento del final de la tarde, esa luz rara que los franceses llaman entre perro y lobo.

Hay algo que no entiendo. Por qué me has llamado a mí.

ARIEL escribe su respuesta en un cuaderno y se la ofrece. VICTORIA le contesta en lenguaje de signos, con cierta dificultad.

Te he llamado a ti por la sonrisa de mi hermano.

¿Qué sonrisa?

> *ARIEL busca. Trae una foto.*

Es verdad. Para ver a tu hermano sonreír hay que colgarlo boca abajo. Y eso era entonces.

Tus ojos ven cómo los ojos de VICTORIA se asoman a la fotografía y dejan de fingir buen humor por un momento y se llenan de miedo y de tristeza y tal vez de rabia y se pueblan con el amor que tiene y tuvo por su amigo. Los ojos de VICTORIA miran a ARIEL y parece que se ha terminado el capítulo de las bromas.

Dime una cosa. ¿Tu hermano se quería matar? No lo sabes.

> *ARIEL vuelve a su cuaderno y VICTORIA lee muy despacio su respuesta y ves que sus ojos se quedan prendidos a esas tres palabras por unos segundos.*

Como que esta vez.

Hubo otra vez.

Ya. ¿Cuándo fue eso?

Hace un año.

> *Silencio. Tal vez dos redondas. Las hojas están recibiendo el primer aire del otoño.*

Perdona. ¿Puedes cerrar esas puertas?

> *ARIEL sonríe y lo hace. ARIEL casi siempre sonríe antes de hacer las cosas.*

¿Dónde está ahora?

En el hospital, en rehabilitación.

¿Y no le acompañas? Tiene gracia. No, que me lo estaba imaginando cuando lo bajen de la ambulancia. Lo montaran en una de estas. Ya ves. ¿Y le cuidas desde el accidente?

Desde siempre.

Desde siempre. Claro. Tú eres el mayor.

Soy el pequeño. Pero no sabe vivir sin mí.

No sabría vivir sin ti. Claro. ¿Y qué puedo hacer yo?

ARIEL va hacia el estuche del violonchelo. Lo abre.

¿Ha ensayado desde que volvió? ¿Nada?

Silencio. Se acerca al celo. Tal vez se atreve a acariciarlo.

El señor Benjamin Banks. Le teníamos todos una envidia que lo queríamos matar. El Benjamin Banks de su abuelo.

Este no lo llevaba a clase.

No, a clase llevaba otro. Pero en los exámenes aparecía con este.

BRUNO acaba de entrar. No le gusta no estar solo.
Pero quiere a VICTORIA. Siempre ha querido a VICTORIA.

Hola, Victoria.

Hola, Bruno. Tienes una pinta horrorosa. Dime que te alegras de verme.

Me alegro de verte. De verdad. Hacía mucho tiempo.

Sí.

VICTORIA solo tiene unos segundos para poner en marcha lo que sea.
Eso siempre se le ha dado bien.

He venido a pedirte un favor.

Dime.

Voy a dar un concierto. Como solista. Necesito que me ayudes a prepararlo.

No puedo. Lo siento.

No. Esa es la frase que se usa si te pido pasta. Te estoy pidiendo que me ayudes.

Dinero sí te puedo dar.

Sigues igual de baboso.

Tú sí sigues igual. Perdona. De verdad que no puedo. He tenido un accidente.

Ya. Y te has roto la pierna.

Sí.

Así podemos echar carreras. Necesito que me ayudes. Estoy muerta de miedo.

Haces bien.

No te burles, encima. No seas cabrón. Para ti es fácil.

Para mí no es fácil. Para nadie es fácil.

Quiero decir que llevas años dando conciertos. Para mí va a ser el primero. Ya ves. A estas alturas. Si no me ayudas diré que no lo hago.

Lo siento.

Vale.

Silencio. VICTORIA no se ha rendido en su puta vida.

Vale. Te lo tienes que pensar. Hasta luego, Ariel. Me llevo la foto para hacer una copia. Vendré a devolvértela.

Te la puede hacer él. Mi hermanito es un genio de la informática. Vive de eso. Ahora vivimos de eso.

Me parece muy bien. Pero me llevo la foto y te la traigo otro día. Que me ha parecido una buena excusa y no se me van a ocurrir dos la misma tarde.

5. SILENCIO DE PIEDRA

Han pasado unas horas. Hay una luz rara en el jardín, esa luz absurda de la luna llena en un jardín sin luces. Tus ojos ven a ARIEL. Tus ojos no habían visto, hasta ahora, la risa de ARIEL. ARIEL, frente a una pantalla, habla con sus manos. Muy deprisa. Habla y ríe. Habla con un amigo. Habla de otro amigo, muy tragón, que se ha puesto malo por una apuesta, comiendo hamburguesas. Luego dice que no, que no va a salir, que no puede, que tiene que cuidar de su hermano. Bien. Está mejor. Pero no quiere dejarlo solo. Él toca y yo le escucho.

BRUNO entra con un libro en la mano. Busca algo. Corta un trozo de papel de una revista y lo usa como robapáginas. Su cuerpo se mueve por su cuenta mientras su cabeza sigue discutiendo con lo que ha leído en el libro que ahora deja en cualquier parte. Mira a ARIEL. ARIEL le dice que se acerque, que salude a Juan. BRUNO se pone frente a la pantalla y habla con las manos.

¿No salís esta noche? Este tío es un pesado. Insístele. Parece mi novia. No te preocupes. Lo echaré a hostias. Hasta luego.

ARIEL se despide de Juan, luego te llamo. Cierra.

¿Para qué te quedas?

Estoy cansado.

Tendrás agujetas.

Más que tú. ¿Qué vas a hacer? Esta noche. ¿Qué vas a hacer?

Nada. No sé.

BRUNO abre la caja y saca el chelo. Pasa la resina al arco.

Necesito que me compres resina. Ya sabes. Larica Liebenseller oro número tres.

La puedes comprar en internet.

Me da calambre.

Eres un inútil.

Sí. Ya sabes que solo puede ser de esta marca.

Solo de esa.

Sí, solo de esa. Del número tres.

Llevo años comprándote esa marca. Ya sé que usas esa marca. Oye, si cierra la fábrica de esa resina, ¿vas a tocar el tambor?

Pues puede ser.

BRUNO deja que el chelo repose sobre él. Hace sonar las cuerdas.
Afina alguna; deja que el arco pase por ellas. Ariel se sienta frente a él.
En el suelo. Como hacía cuando eran pequeños.

Ves la mano izquierda de BRUNO caminar, bailar sobre el mástil. Ves su muñeca derecha acercarse como las olas. Oyes la música como la oye ARIEL. Es decir, el silencio. Un silencio de piedra. BRUNO se detiene. Vuelve a afinar una cuerda. Mira a su hermano, como si saliera de un agua oscura y profunda y lo encontrase allí, sentado, esperándole.

Hacía mucho que no tocabas esa.

ARIEL sabe algunos de los gestos de memoria. Pasó cientos de horas mirando a su hermano. Imita los movimientos de las manos de BRUNO.

Creo que serías capaz de tocar esto.

No quiero dejarte sin trabajo. Antes la tocabas distinta.

Antes solo era música.

No me gusta que la toques. Es de ese que se tiró a un río y que luego se volvió loco.

Sí.

No me gusta que la toques.

A lo mejor tienes razón. Es venenosa.

¿Por qué lloran?

¿Quién?

La gente. Cuando tocas. He visto a hombres y a mujeres que lloran cuando tocas. Reír también.

Es la música.

No. No siempre. No con todos. Es algo que haces tú.

No. En realidad no. Es algo que hacen ellos. Ellos ponen dentro de la música lo que llevan dentro de ellos. Con la música lo dejan salir.

Pero no pasa siempre. No pasa con otros músicos.
Es que yo soy más guapo.

Lo que más quiero del mundo es entender eso que haces.
Y yo escuchar tu silencio.

BRUNO vuelve a tocar, para los oídos de piedra de su hermano.

6. EL CLUB DE LA LUCHA

*NURA sirve comida para VICTORIA, de un túper. Ella come lo que
queda en el recipiente. También tienen vino. Brindan y beben.*

Ha tenido un accidente. No saben si le atropellaron por
accidente o se tiró encima del coche. Lo está pasando mal.
Su hermano se acordó de mí. Parece que no hay mucha
gente con permiso para entrar en su burbuja y yo sí lo
tengo. Desde que teníamos trece años.

No sé si es buena idea.

El qué.

Engañarle. Eso del concierto.

Improvisé. Se me ocurrió eso. Si le digo que quiero ayudarle ni me había mirado.

Tampoco te ha hecho caso con esto.

Tú espera. Volveré. Y volveré y volveré. Como en eso del
club de la lucha. Una peli. No me voy a rendir. ¿Sabes por
qué toco el chelo?

No.

Mis padres son la mejor gente del mundo. Desde que me
vieron en una de estas no han hecho otra cosa que buscar
maneras de que yo sea feliz, un rato, con lo que sea. Han
trabajado lo que ha hecho falta, porque dije que me gustaría estudiar música. Ir al conservatorio era meterme en el
coche, conducir una hora, esperar, volver a meterme, volver a conducir. Sin discutir mi rabia. Los mato a besos, es
todo lo que puedo hacer, y que me vean contenta con este
oficio. ¿De qué te estaba hablando? Ah, sí. Pues llegamos

a la escuela de música y me dijeron que qué instrumento me gustaba. Y luego dijeron que el violonchelo mejor que no, por las piernas. Y yo dije que mis cojones. Y me llevaron a chelo. Y toco en una orquesta. No soy Rostropovich, pero toco en una orquesta.

Así que te vas a plantar en su puerta hasta que se ablande. Espero que me lleves algún túper de estos. Cómo te cuidas.

Mi vecina. Dice que no sabe cocinar para uno. Creo que piensa que Jose me ha dejado. Así que me cuida. Yo le hago la compra y ella se cree que lo que le subo es lo que se puede comprar con su dinero.

¿Cuándo vuelve Jose?

Seis meses. Me grabo y se lo mando (sonríe) Para que me eche de menos. Para que me piense. A veces no estás donde está tu cuerpo. A veces estás pensando en una persona y estás en el lugar donde está esa persona. Ahí. A su lado. Y quieres creer que esa persona también está pensando en ti. En ese momento. Que te está pensando. Y hablas con esa persona mientras se viste, mientras mira por la ventana.

Guardan silencio, como si dejasen que lo que ha dicho NURA se disuelva, porque a veces da vergüenza enseñar el corazón, ponerlo en la mano de otro.

Una persona que cuida de ti. Una vieja que tendrá una pensión de risa. Está bueno.

Está soso. Pero me sabe a una vieja con una pensión de risa que cuida de mí. Me sabe a gloria. Hay gente así. Ese chico. El sordo. Ese chaval está intentando cuidar de su hermano.

Está intentando algo más difícil. Está intentando encontrar una manera de hablar el mismo idioma que su hermano.

ARIEL desde la casa, habla con VICTORIA en el estudio.

¿Tú haces lo mismo que mi hermano?

Sí. Bueno, no. ¿Qué es lo que me estás preguntando?

Mi hermano toca y a la gente le pasan cosas.

Ah. No. Yo solo toco el violonchelo. Lo que hace tu hermano lo hacen muy pocos. Claro. Para ti es como un idioma que no puedes entender.

Y que no se puede traducir.

No sé.

Silencio.

A lo mejor sí se puede.

Es lo que más quiero en el mundo. Entender eso. Hablar con mi hermano. Hablar de verdad con mi hermano.

VICTORIA vuelve los ojos a NURA.

Ya ves. Mientras todo el mundo está tratando de no enterarse de la gente sola, mientras estamos dejando que nos coman, un chico quiere entender a su hermano y una vieja pobre cuida de mí.

NURA come. Termina y cierra el tuper.

Tienes que ayudar a su hermano. Tienes que insistir lo que haga falta. Si no nos ayudamos estamos muertos.

De qué era el guiso.

Alcachofas.

Pues ten cuidado porque te ponen trascendente.

7. SEGUNDO ASALTO

*Tus ojos ya conocen la casa de BRUNO y ARIEL, la hora de
perro y lobo donde no se sabe si se está vivo o se está muerto.
Tus ojos ya conocen los ojos de VICTORIA y la sonrisa de ARIEL.*

No puedes oír nada.

No.

Nunca has oído nada.

No.

*Suena el teléfono. Insistentemente. Salta el contestador. Es la voz de un
hombre, en italiano, dice Ciao, BRUNO. Ricardo. Solo llamo para charlar.
Estoy en casa. Ya sabes el número.*

Silencio.

¿Quién era?

No estoy segura.

Da igual. Nunca contesta.

¿A nadie?

Desde el accidente. No contesta.

Si es quien yo creo ya no hago falta. No le dirá que no. Se
tendrá que poner las pilas.

Entra BRUNO.

Sigues como entonces.

Si ya me conoces, ¿por qué no te rindes ya y ahorramos
tiempo?

Perdona, pero hoy ya me han torturado bastante.

Si me ves como una tortura me voy. La verdad es que no venía a verte a ti. Venía a hablar con Ariel.

Ya.

Tienes una llamada. Y esta la tienes que escuchar.
BRUNO coge el teléfono inalámbrico. Escucha el mensaje. Le da a rellamada.

Maestro.
Habla muy bajo, en italiano, de espaldas a ellos, mirando al jardín. VICTORIA y ARIEL le miran. ARIEL pregunta a VICTORIA.

¿Qué dice?

No sé, habla muy bajo. ¿No le puedes leer los labios?

Sí, pero no le entiendo.

Está hablando en otro idioma.
BRUNO cruza la puerta, sale al jardín, sigue hablando.

Ya está. No te preocupes. Seguro que a él no le dice que no. Ya está. Mira.
BRUNO vuelve a entrar. Cuelga el teléfono.

¿Qué quería?

Nada. Saber cómo estaba. Charlar.

Te ha pedido que toques con él.

No.

Entonces, ¿de qué habéis hablado?

Del frío. Dice que el frío y la niebla le ayudan a pensar. Que no concibe la música sin la niebla. También hemos hablado de Elgar, del opus 85 de Elgar.

¿Y no te ha pedido que vuelvas a tocar?

No.

Joder.

Es mi amigo.

Menudo amigo. Vale. Y qué hay de lo mío. ¿Me vas a ayudar?

De verdad que no puedo.

¿Si te lo pidiera él?

Pues me dolería decirle que no. También me duele decírtelo a ti.

Y más te va a doler. Ariel, ¿podrías ir mañana a este sitio? Te quiero presentar a alguien.

8. EL EFECTO DOPPLER

NURA baila para su chico. Su baile dibuja una música que es como un camino de arena entre helechos, un camino con una sombra suave y un calor dulce de verano, que sube y baja y tuerce a un lado y a otro y uno espera que detrás de cada curva llegue el mar y una luz que le ciegue los ojos.

Cuando termina, NURA se acerca a la cámara.

Pienso en ti a todas horas. Y de noche sueño contigo.

Apaga la cámara. Llaman, fuera. Es VICTORIA.

Hola. ¿Todavía no ha llegado?

No.

Qué hacías.

Bailaba.

Cartas de amor.

Sí.

Hace mucho que no bailamos.

Estás muy vaga.

Es que no quiero dejarte mal, por tu lesión.

A ver si te acuerdas.

NURA pone música. Le apetece bailar con su amiga. NURA pone una música que dice que hay días alegres en los que no te importa que te queme el sol porque parece que te está moviendo sin que tú quieras, que te está sacudiendo lo feo para que se te caiga como caen las hojas secas. ARIEL entra y las mira. Ellas no se dan cuenta de su presencia. Él se queda en la entrada. Cohibido. Pero se contagia de la alegría de lo que ve. Por fin, terminan, jadeantes. NURA sonríe pero su gesto dice que el dolor es mucho en su pierna. VICTORIA ve a ARIEL.

Si llegas antes, habíamos bailado los tres.

No sé bailar.

Ni esta tampoco. ¿Te ha gustado?

Era muy alegre.

A ver. Ariel. Nura. Le he hablado a Nura de ti. Le he hablado de lo que me dijiste. Que quieres saber qué pasa cuando toca tu hermano.

ARIEL no entiende. ARIEL no sabe por qué ha tenido que contar eso. ARIEL desconfía. Siempre ha sido así. No confía en lo que dicen los otros, no sabe qué dicen si no ve sus caras y desconfía. Aprendió a desconfiar cuando era un niño. Sigue siendo el muchacho que no sabe si tiene delante a amigos o a hijos de puta. Cree que eso le pasa por ser sordo.

No sabe que eso le pasa a todo el mundo. ARIEL da media vuelta,
se dirige a la salida.

¡Ariel! Anda, corre.

NURA corre tras él, le coge del brazo. ARIEL mira a NURA a los
ojos. En los ojos de NURA entiende que no puede pasar nada malo.
Se vuelve a VICTORIA.

No te entiendo.

He pensado una cosa... es difícil de explicar.

Soy sordo. No soy gilipollas.

Lo que eres es un poco chulito. A ver. Habéis oído lo del
telescopio ese que se llama Hubble.

Sí. Miro muchas cosas de estrellas en Internet. Diseñé una
página sobre eso.

Entonces va a ser más fácil. El señor Hubble se hizo famo-
so porque descubrió que la luz de las galaxias lejanas llegaba a la tierra desplazada al rojo, o sea, con una longitud
de onda más larga, como la longitud del color rojo.

El entusiasmo de VICTORIA es puro desaliento en NURA.

Como si me hablaras en chino.

Lo interesante de todo esto es lo que sí vas a entender.
Este efecto extraño se llama efecto Doppler. Tres años después, otro científico que se llamaba Buys Ballot observó
una cosa que tú puedes notar, que tú has notado. Cuando
un tren se acerca se oye su sonido más agudo y cuando se
aleja se oye más grave. Pero el ruido es el mismo. Si fuera
una sinfonía sería perfectamente reconocible, pero como
si la tocasen un tono por arriba o por debajo de lo normal.
El hidrógeno tiene su canto que es el espectro de emisión.
Su voz es perfectamente reconocible, pero cuando se aleja
suena más grave. Es la canción que cantan los elementos

químicos que emiten luz en las galaxias.

Ahora sí que me he perdido.

Silencio. NURA está un poco perpleja. VICTORIA imita el sonido de un coche de carreras al pasar.

Ah, eso.

ARIEL ríe.

Y tú de qué te ríes.

Sé lo que es el efecto Doppler. Ya te he dicho que miro las estrellas. ¿Por qué lo sabes tú?

Porque yo pensé que tenía que estudiar algo decente, además de música. Y estudié física. Y casi la terminé. Un respeto.

Pues me perdonáis porque yo no he estudiado ciencias y no entiendo nada.

Te he explicado una observación científica sobre la luz con una observación científica sobre el sonido. Lo que hace Bruno es algo que Ariel no puede oír. A él no se le pueden poner los pelos de punta oyendo a su hermano, pero sí que le puede pasar viendo bailar. Si lo que quiere saber es qué pasa dentro de su hermano cuando toca, puede que se acerque a eso bailando. ¿Lo entiendes, Ariel?

Sí. Sí.

Ariel camina por la sala, está nervioso, está entusiasmado. Está tocando lo imposible. Vuelve a ellas, las abraza. Deletrea un nombre.

Neil Harbisson. Es inglés. Le pasa una cosa que se llama acromo... no. Acromatoxia. No puede ver colores, solo blanco y negro. Lleva en la cabeza un aparato, una cámara que traduce los colores en notas. Se lo inventó él. Es músico. El verde se llama la. El azul del cielo se llama Si. El azul del mar se llama do. El violeta se llama re. El rosa se llama mi. El rojo se llama fa. El amarillo se llama sol. Lo estudié. Pero no me sirve. Solo me sirve para traducir, pero no para lo que pasa dentro. Pero esto sí. Esto sí. Bailar. Champolion. Claro. Champolion.

¿Qué?

Champolion. Las letras.

No sé de qué hablas. Cálmate.

Yo sí, Victoria. Menos mal que entiendo algo. La piedra Rosetta. La vi en Londres. Champolion fue el que tradujo por primera vez una cosa escrita por los egipcios, porque encontró una piedra que tenía algo escrito en griego, en egipcio y en árabe o en latín, no me acuerdo.

En jeroglíficos, en griego y en egipcio.

Sí, es verdad. ¿Veis? Era bien fácil de entender. Y tú entiendes de todo, de estrellas y de egipcios.

No. De letras. Toda mi vida llenando cuadernos. Lo que más me gusta del mundo, la caligrafía. Mirad.

ARIEL saca de su bolsillo una bolsa de plástico y de ella unas tizas. Se dispone a dibujar en el suelo. De pronto se da cuenta. Mira a NURA.

Dale, dale, luego se friega.

ARIEL escribe letras. Escribe nombres de letras: Garamond, Bodoni... NURA observa, luego comienza a seguirle, a pasar sus pies por los trazos, a imitar el modo de mover los brazos de ARIEL. ARIEL se incorpora y mira a las dos mujeres. Es feliz.

Lo vais a dejar todo hecho un cristo.

9. TERCER ASALTO

La casa. La guarida. VICTORIA y ARIEL esperan a BRUNO.

La gente me cuenta cosas. Todo el mundo me cuenta cosas. Es porque les miro a la cara cuando hablan. Y porque creen que no lo voy a contar.

¿Y sí lo haces?

No. Muchas veces no entiendo lo que me han contado. Se mueven, hablan casi sin mover la boca. La gente no sabe hablar bien. Te estaba hablando de mi hermano.

Así que tu hermano está solo.

Y lo otro.

¿Qué es lo otro?

Es algo que le pasa. Lo veo en su cara, pero no puedo entenderlo. No le puedo oír.

Bueno, a mí tampoco. Puedes preguntarle.

No. No puedo oír cuando toca música. Necesito oír cuando toca música. ¿Tú tocas como él?

Sí. No. Como él no.

No lo entiendo.

Que yo toco el violonchelo y él hace música. Es difícil de explicar. Tu hermano es distinto. Tiene una anomalía. Tu hermano hace que la vida valga la pena, hace que los que le oyen piensen que la vida vale la pena.

No te entiendo.

Llega BRUNO. Está cansado, dolorido. Finge fastidio, pero puede que durante el viaje de regreso en la ambulancia haya deseado encontrar en su casa la media sonrisa de VICTORIA.

¿Otra vez?

He venido a devolver esta foto. Es de un día que te vi sonreír. Mira.

Ya.

Qué difícil es verte sonreír.

Tú decías algo sobre eso. Que un defensa no se ríe, o algo así.

Un defensa central no sonríe jamás. Era una frase de Rocha. Ya, como si te hablo de Confucio.

Creo que sé quién era Confucio.

Rocha era un defensa brasileño del Real Madrid. De cuando tú y yo éramos chavales. De esa edad a la que tendríamos que haber estado jugando en la calle, pero estábamos toda la tarde dándole a este chisme. A mí me habría gustado. Bajar a la calle. Pegarle a un balón. ¿A ti no? No, claro. Tú eres más raro que un perro verde. Pues yo soñaba con ser Garrincha.

BRUNO mira a VICTORIA sin saber de qué le habla.

Garrincha. Qué lástima, qué incultura. Garrincha era un delantero de Brasil. Era una historia que me contaba mi padre. Cuando le quiero hacer sonreír le pido que me cuente la historia de Garrincha. Garrincha era un niño que tenía mal los pies, girados hacia dentro, y tenía una pierna seis centímetros más corta que la otra. También tenía la columna torcida y cuando era niño, además, se puso muy enfermo de poliomielitis. Fue compañero de Pelé y fue campeón con Brasil. Brasil nunca perdió si jugaban juntos Pelé y Garrincha. Verle jugar era tan divertido que lo llamaron "la alegría del pueblo". Y además bebía y además fumaba, y tuvo no sé cuántos hijos y un montón de amantes, bueno, eso no me lo contaba mi padre Pues es una pena.

¿El qué?

Que no sonrías. Me acuerdo del día de esta foto. Salías del estudio. Feliz. Feliz como si te hubieran comprado un tren eléctrico. Te pregunté qué pasaba y dijiste que te había salido bien.

Sí, me acuerdo.

¿Hace más de quince años y te acuerdas?

Es que me salió bien. El comienzo del concierto de Dvorak. Pero no te oyó nadie.

Pero me salió bien.

Sin darse cuenta, BRUNO sonríe.

¿Ves? Así.

¿Qué has pensado?

¿De qué?

El programa. Para tu concierto. ¿Qué has pensado? ¿Por qué lloras?

10. ESCRIBE

Ahora tus ojos podrían llenarse con la belleza de la tarde. La tarde está al otro lado, detrás de la pared de cristal. Detrás de la pared de cristal hay un monte y un bosque con todos los colores del verde y tus ojos sienten cómo un sol de oro llena de luz esas hojas que dicen verde oscuro y dicen ocre y siena y dicen amarillo y llenan de paz tu boca mientras dentro de la nave baila y baila NURA. Casi con furia. Tus ojos ven el vuelo de NURA y ven que los ojos de ARIEL llevan un instante, un largo instante, mirando el vuelo de NURA.

NURA se posa. Respira. Sale del baile como de un sueño y mira a ARIEL, que saluda con un gesto de la mano.

Hola, Ariel.

A ver cómo empezamos.

¿No oyes nada?

¿Pero sabes leer los labios?

Claro, y el cuaderno.

Esto no lo he hecho nunca.

Sí, lo de dar clases para uno solo sí. Lo de...

Es que si no oyes la música hay cosas que no sé si se entienden.

Es que no soy capaz de imaginarlo.

Se me ocurre que puedes copiar todo lo que yo haga.

Pero eso solo sería una imitación.

Y no tendría nada dentro, no sé si me explico.

¿Qué?

Ah, claro, más despacio. Perdona. ¿Has bailado antes?

No, claro. Pues esto va a ser la leche.

El precio. Lo he estado pensando. Bueno, necesito el dinero. Pero también te quiero pedir algo.

Que me enseñes letras. Ese podía ser el precio.

No, que me pagas en dinero. Vale.

Que lo otro me lo regalas.

NURA sonríe. Cuando NURA sonríe, la vida se vuelve un domingo por la mañana. NURA abraza a ARIEL. ARIEL se queda sorprendido. No sabe cómo se recibe un abrazo como ese. Pausa. ARIEL le da a NURA un pendrive.

Con esta música. Vale, el próximo día. Para empezar.
Escribe letras. En el suelo. Grandes. Las que quieras.

*ARIEL escribe letras. NURA sigue sus movimientos, tal vez sigue
su trazo con los pies, tal vez repite y estiliza alguno.*

11. ENTRE PERRO Y LOBO

*Está cayendo la noche. Tus ojos ya saben que se acerca la hora de BRUNO,
que se terminó la hora de NURA. Tus ojos ya conocen la casa y esa
luz entre perro y lobo. BRUNO está solo en la casa. Aplica la resina
al arco, con mucho cuidado, con lentitud, como se acaricia la espalda
de alguien a quien se ha amado muchos años.*

Hace años que los sillones están así.
Deberían estar de cara al jardín.
Debería moverlos para mirar el jardín cuando me siento
en ellos.
El jardín de noche.
El jardín de noche tiene una oscuridad de fondo del mar.
De fondo de un río.
Tal vez este es el fondo del río de mis sueños.
Tal vez este es el fondo del río de mis sueños.
Tal vez este es el fondo del río de los sueños que me hacen
gritar.
Yo quiero volver al sueño en el que hablo con mi hermano
y vuelvo al sueño del río.
La silla donde toco también está de espaldas al jardín.
Donde toco cuando no hay nadie.
Toco la música más bella del mundo frente a una pared
desnuda, casi sin luz.
La silla de ella está frente al jardín.
Está frente a mí, de modo que está frente al jardín.
Ella puede ver el jardín y a la vez tocar a Bach o a
Guillaume Dufay.
Ella puede mirar el jardín a través de mi cuerpo.
Detrás de mi cuerpo.

Por eso se distrae.

Por eso estoy de espaldas.

Porque estoy muerto y a los muertos no nos importan los jardines.

Pero nos siguen importando las sonatas de Bach.

No sé por qué he pensado eso.

Eso de estar muerto.

Sí.

Sí lo sé.

Cuando lo has intentado estás muerto aunque fracases.

No se puede volver.

A veces quieres volver. Por Ariel. Para no hacer daño a Ariel.

Para no hacerle más daño.

Volver y fingir que este lugar

Vale la pena.

La gente vive. La gente sabe y vive y hay gente buena y tú

No sabes encontrarla.

No sabes encontrarla.

Al menos, está Bach y Shumann y Ligeti.

Solo quiero que el jardín no exista cuando toco.

No quiero mezclar a Bach con otra cosa.

Hay gente capaz de comer o de viajar.

Hay gente que folla con la música de Bach de fondo.

Deberían obligar a la gente a escuchar a Bach con los ojos cerrados.

Debería ser un mandamiento.

"Oirás a Bach con los ojos cerrados."

Algunos usan a Bach para algo que vale la pena.

Federico García Lorca ponía un disco de Bach cuando escribía.

Ponía el mismo disco, una y otra vez, durante horas.

Ponía un disco con la cantata 140 de Bach y escribía Bodas de sangre.

Un disco de mica.

Me apetece tocar.

Antes de que venga Victoria.

Ves que BRUNO se pone de pie y camina. Ves cómo mira al lugar donde descansa su violonchelo. Como si midiera sus pasos. Los pasos que lo separan del violonchelo. Se queda quieto. Oyes ruido. Más ruido del que hace la gente cuando entra en una casa. Ruido de cerrar la puerta de golpe y ruido de dejar una bolsa en el suelo y de quitarse las zapatillas y dejarlas caer. Ves entrar a ARIEL quitándose la ropa y ves cómo se para y besa a su hermano y ves cómo abre una de las puertas de cristal y sale al jardín.

Oyes el golpe de su cuerpo entrando en el agua de la piscina.

12. BUSCAR UN CAMINO

NURA escucha la música que le ha dado ARIEL. Poco a poco prueba un movimiento. Otro. Mira las letras escritas en el suelo. Crea.

13. DE NOCHE

La misma casa, casi la misma hora. La misma luna. Tal vez el aire golpea alguna vez las puertas de cristal. Tus ojos ven los ojos de VICTORIA y los de BRUNO que se miran. Hace ya algún rato que se han reconocido, que han vuelto a encontrar el camino de mirarse. Han vuelto a la calma de quien se siente a salvo. De quien sabe que el otro es un amigo.

Sería mi primer concierto como solista. Con el cuarteto he hecho muchos bolos. Podría haber hecho muchos más, pero no he querido ir como minusválida. Ya sabes eso que dicen de las nueve palabras más peligrosas.

No lo sé.

Lo dijo no sé quién. Reagan, creo. No sé. Las nueve palabras más peligrosas que puedes oír son: "trabajo para el gobierno y he venido a ayudar". Yo tengo mis propias nueve palabras: "deja que te ayude que tú sola no puedes". Si hay algo que no soporto es que me tengan lástima, o que me admiren por vivir. Me ponen de muy mala hostia.

No has cambiado. Estás más vieja pero no has cambiado. En cuanto a la piedad, no tienes que preocuparte. No pienso tener ninguna. Aunque supliques. El programa.

He pensado en algunas piezas. En algunas de las que tú conoces bien. Las he estudiado mucho. He pensado en las cinco sonatas de Beethoven.

Nada menos.

Ya puestos a fracasar, que sea en serio.

¿Quién será el pianista?

Todavía no está cerrado.

No es muy original.

No lo pretendo. Con no caerme del caballo me conformo. Ya, cuando me haga famosa, tocaré lo de Elgar y esas cosas con orquestaza que tocas tú.

Cuánto tiempo tienes.

Cuatro meses.

Estás jodida.

Gracias. Gracias, querido amigo. Sin tu aliento no habría sido capaz.

No sé qué quieres que haga.

He pensado en las sonatas porque son las que más te he oído sin orquesta. Te he seguido.

Nunca has venido a decirme nada.

Me daba no sé qué. La estrella de los cojones y su vieja compañera.

Me habría gustado verte. Me habrías dicho cosas de verdad. Tú nunca me diste coba.

Es que te conozco desde primero. Y me gustaría preparar un bis pequeñito, también. Fauré. Después de un sueño. Un poco cursi.

Tú lo has tocado alguna vez, en algún concierto te lo he oído.

Hace años.

Para mí es un buen recuerdo. Es el primer recuerdo que tengo de ti. Te conocí tocando esa canción. El día que entré en el conservatorio me colé en un aula de examen y tú estabas allí, tocando Después de un sueño con tu violonchelo. Teníamos trece años.

Te acuerdas de eso.

Sí. He pensado que como me vas a ayudar muchísimo es una manera de darte las gracias.

¿Cuándo empezamos?

Hostias. Cuando quieras. Cuando puedas. No sé cómo vas con lo de la pierna.

Bien. Es rutina. Ven mañana.

Vale. Me traeré mi humilde instrumento.

No hace falta. Puedes tocar con ese.

¿Con el tuyo? ¿Me vas a dejar poner las manazas en el señor Benjamin Banks, de 1780, fabricado en Salisbury, Catherine street número 17?

Para que no le puedas echar la culpa al instrumento.

¿Y tú?

La que va a tocar eres tú. Yo solo voy a regañarte.

A qué hora vengo.

A esta hora.

Puedo venir antes.

No. A esta hora. Es mejor tocar a esta hora.

Claro. Bob Dylan solo compone de noche.

¿Quién?

Sigues igual. Eh.

Qué.

Una coca cola o algo. Que llevo aquí media hora. Sigues viviendo en el planeta Bruno. Igual que entonces. Debes de tener una vida interior de la hostia.
Vale.

BRUNO va a buscar bebidas. Cuando sale, VICTORIA comienza a hablar. Cuando regresa ella continúa hablando, porque eso que escuchas no lo dirá nunca, porque las cosas a veces...

Te amo. Te amo desde hace muchos años. Desde un día en el conservatorio. Esto es algo que yo no he elegido. Pasó ese día y pasó para siempre. Si te dijera que te amo te diría también por qué. Yo pasaba los meses de junio en la playa. En el norte. Sentada en las dunas, para poder tener la espalda apoyada y no caerme. Lo que más me gustaba era cuando empezaba a llover. Las primeras gotas. Desde que caían las primeras gotas hasta que llegaban a la duna y me recogían. Las primeras gotas de la lluvia en mi cara y las primeras gotas en la arena. Y el olor. Un día. En el conservatorio. Te oí tocar la número uno de Brahms. Ahí estaba mi arena, mis primeras gotas de lluvia, el sabor de la sal. Ahora, cuando recuerdo la playa, cuando cierro los ojos y vuelvo a mi playa, tú estás ahí. Estás a mi lado para siempre. Por eso te amo y es algo que no tiene remedio. No sé qué pasaría si lo supieras. Si yo te dijera todo esto que no te voy a decir nunca.

¿Quieres que toque algo o solo he venido para alegrarte la vista?

Mejor mañana. ¿Cómo vuelves a casa?

En el bus, ¿cómo quieres que vuelva?

VICTORIA mira a BRUNO. VICTORIA se da cuenta, se acaba de dar cuenta, de que nunca BRUNO había pensado en eso. También se da cuenta de que BRUNO acaba de pensar en eso; de que BRUNO acaba de salir de su planeta para mirarla. Para mirar su silla. VICTORIA toma aliento para explicar cosas que ha explicado muchas veces, que ha peleado muchas veces. VICTORIA está cansada.

Nunca te lo habías preguntado. Cómo salgo de casa. Cómo salto para subirme a las aceras y a los portales con escalón. Pues pago un asistente, que me ayuda a llegar hasta tu puerta y que volverá cuando lo llame. Lo pago

porque en este país tan cojonudo no estoy lo suficiente-
mente jodida como para que me lo ponga el Estado. Y
cuando no lo puedo pagar me quedo en casa. Y me inven-
to que tengo que estudiar una partitura y me meto en mi
habitación, para que mis padres no se sientan mal. Porque
ellos no pueden con su alma, pero tienen mala conciencia porque no pueden con su alma y cada vez que viene
mi asistente a recogerme piensan que tenían que hacerlo
ellos pero no tienen ni puta gana y en el fondo es un alivio
no tener que salir a la calle. Y todo eso pasa todos los días.
Y mi vida se va gastando y la vida de la gente que quiero
se va gastando. Gracias por preguntar. A la cocacola se le
pone una rodajita de limón, por lo menos. Y unas patatas
Como anfitrión eres un desastre.

14. ESTABAS FELIZ

*NURA y ARIEL. Bailan. NURA, atenta, manda, corrige, pero
ya casi está. Repiten. Tal vez nosotros no escuchemos la música. Terminan cansados, jadeantes. Nura sonríe, aplaude a ARIEL.
NURA va al equipo de música, saca el pendrive y se lo da a ARIEL,
que hace gestos de que se quede con él. Ella le responde*

No hace falta. Ya me lo he copiado.

ARIEL le da otro a NURA.

Para la semana que viene.

¿Cuál?

La tres.

Ya.

¿La conoces?

Sí

¿Te gusta?

Me gusta mucho

¿Cómo es?

No se puede explicar.

(Pues vaya)

Es... No es triste. Pero es como el agua de un río por la noche.

Pausa.

¿Hay música para no estar triste?

Pausa.

Sí. Espera. Quiero bailar para ti.

NURA baila. Contagia su alegría a ARIEL. Paran, jadeantes, riendo.

Deberías bailar siempre esto.

¿Por qué?

Estabas feliz.

15 DÍA DE ENSAYO.

En la casa. VICTORIA y ARIEL.

Siempre toca de noche.

Silencio.

Me dijo algo de la luna. No sé.

Entra BRUNO.

Has llegado pronto.

Sin más preámbulos, saca el chelo. Se lo ofrece a VICTORIA.

¿Así? ¿Sin más?

Toma. Toca esto. Léelo y toca.

VICTORIA toca. BRUNO la observa como si fuera un problema de matemáticas. VICTORIA termina. Silencio. Desaliento.

Mal.

Bueno. Hay que trabajar.

No lo conseguiré.

No. Nadie lo consigue. Si se consiguiera, no tendría sentido. Esa es la gracia de todo esto.

Lo entiendo.

¿Lo entiendes?

Claro.

Casi nadie lo entiende. La gente me mira como si estuviera loco cuando les digo que lo que hago no es nada, que lo que hago no está bien. Y me siento un estafador porque yo sé que no está bien, yo sí sé que no está bien. Nunca está bien.

Pues es fácil de entender. Estamos limitados. Lo bueno de la silla es que no deja que me olvide de que no lo puedo hacer todo. Nunca se puede. Nadie puede. Lo divertido no es poder. Lo divertido es hacerlo. Hacerlo a muerte. Como los niños. Qué más da si llegas.

Es verdad que lo entiendes.

Pero tú a veces si lo consigues.

A veces sí. Y eso te envenena más. Yo lo logré una vez. Y he estado cuando lo han conseguido otros. El mal de

Sthendal. Yo lo sentí una vez. Maazel, dirigiendo. Un bis. En Madrid, en el Auditorio. La obertura del tercer acto de Lohengrin. Salí mareado de allí. Salí llorando. Y yo logré que otra persona sintiera eso. Desde entonces, espero que vuelva a pasar. Un día me di cuenta de que me mentía. No soy yo quien logra el mal de Sthendal, Es quien oye la música. El veneno está dentro de cada uno. La emoción está en el que escucha. No debes buscar. Debes estar abierta. Tocar escuchando.

Escuchando qué.

Tu... alma. No sé explicarlo. Solo sé que no debo buscar. Si lo buscas no viene. Solo debemos tocar, lo mejor que podamos, sin esperar nada.

Tocar sin esperanza.

Eso. Tocar sabiendo que no somos nada. Que cuando salgo a la calle soy un tipo que no se sabe defender de la vida. Un tipo que piensa todos los días en matarse, como todo el mundo.

Nadie que te oiga tocar puede creerse eso.

No sabes lo que dices. Inténtalo otra vez. Pero no pienses en la música. Piensa en la noche. Piensa en la noche, en el frío, en que estás lejos. Piensa que quedan muchas horas para que llegue la mañana. Olvídate de tocar bien y métete en la noche y en la niebla. Ahora toca la primera frase.

VICTORIA obedece a BRUNO.

Distinto, ¿no?

Empieza a ser menos mentira.

Hay profesores que me habrían dicho que está sucio.

Esto no necesita ser limpio, ni bello. Es verdadero. Decimos que es bello porque nos duele. El descendimiento de Van der Weiden es bello porque ese dolor es verdadero. Goya es bello, todo Goya. Incluso lo que escondió porque no sabía dibujarlo. En sus manos mal pintadas está él. Eso es lo que vale la pena.

Entonces yo soy bella.

Claro.

¿Follarías conmigo?

Por qué no.

Por mis piernas.

¿Te lo impiden?

No.

¿Entonces?

...

La verdad es que ahora mismo no me apetece. Estoy cansada.

Otro día. Entonces, ¿otra vez? La última.

Es la quinta última de hoy. Vale, va.

16. EL SUEÑO DE ARIEL

Nada funciona. ARIEL lucha con su cuerpo porque su cabeza no está en el baile, no sigue los pasos, se pierde. NURA intenta repetir, tiene toda la paciencia del mundo, pero ARIEL se detiene.

Hoy no tienes el día.

ARIEL comienza a mover sus manos, demasiado deprisa.

Me lo tienes que escribir

Pero ARIEL sigue hablando con las manos.

Me lo tienes que escribir. Yo solo entiendo diez o doce palabras.

Pero ARIEL sigue hablando con las manos.

Vale. Me lo quieres contar pero no quieres que sepa lo que me cuentas. Estás como una puta cabra

Es algo que sueño.
A veces sueño y vengo aquí
Al borde de ese lago
Tú has llegado ya y me esperas
Estás sentada en la hierba, sonriendo.
Estás radiante; miras al agua y a mis ojos.
Tienes cara de haber descansado
De haber dormido bien.
Llevas una camisa muy blanca y el pelo recogido.
Llevas el pelo suelto y una camisa blanca.
Hablamos de montes bañados en niebla y de caballos en llamas
Hablamos. Reímos.
Miramos el lago
El día es muy azul. Es un buen día.
Escribimos nuestros nombres en la arena
Heinrich
Henrriette.
Luego señalas tu pecho
Desabrochas un botón de tu camisa

Con el dedo medio (Tienes dedos largos, de princesa
muerta.)
Señalas en tu pecho
El lugar del corazón.
Sonríes justo antes de que yo dispare.
Caes hacia atrás, de un modo extraño
Tu brazo derecho casi toca el agua.
Después escribo. Pido perdón. Explico
Que casi siempre la vida la soporto
Pero que hay días
Y que ya no puedo con el miedo
A que lleguen esos días. Y que hay sueños.
Les digo que les quiero, que sé que esto es horrible
Que hago daño.
Te miro. Acaricio tu tobillo izquierdo, que ha quedado
Muy cerca de mi mano
Luego meto la pistola en mi boca, como Allende
Y así acabo.

NURA mira a ARIEL. No sabe lo que ARIEL ha dicho pero sabe
que ARIEL ha dicho Angustia. NURA sabe cuándo un abrazo.
NURA sabe cómo un abrazo. NURA abraza a ARIEL.

Vamos a bailar

Bailan, a veces NURA se detiene para mirar a ARIEL porque ARIEL
le parece diferente, porque ARIEL baila de una forma diferente. Está im-
provisando, por primera vez está improvisando y lo que baila nace de una
música que está dentro de sus sueños, de algo que hay dentro de sus sueños
que se parece a la música.

Después, él se va. Ella se queda en silencio. De pronto, una idea la asalta.
No se había acordado. Va hacia la cámara. Y la para. Rebobina, vuelve a ver
algunos segundos. Hasta "vamos a bailar". Vuelve a rebobinar.

17. GUÁRDAME EL SECRETO

Es temprano para BRUNO. Apenas ha caído el sol.

Ves el miedo de BRUNO. Ves cómo BRUNO abre la caja donde guarda su instrumento. Oyes el silencio del mundo y el paso de un paño por esa madera de dos siglos. Oyes la resina que besa las cuerdas del arco. También oyes el agua, fuera, movida suavemente por un cuerpo en la piscina.

BRUNO comienza a tocar.

Apenas una frase.

La repite.

Se detiene en una nota y la repite.

NURA. Secándose el pelo.

Se acerca a la puerta, atraída por la voz del chelo.

BRUNO nota algo extraño, se vuelve, se asusta al ver a alguien. Se levanta con la muleta entre las manos, en actitud de defensa. NURA lo mira con sorpresa.

Esto no lo había visto. Lo de colarse gente medio borracha y desnudarse y tirarse a la piscina, eso, sí. Pero venir con bañador y toalla es un paso adelante.

No, yo...

Ya, viste una valla tan accesible que pensaste que debía de ser algo público. Eso ya nos lo dijo un tipo. Pero llevaba los calzoncillos en la cabeza, no nos pareció un tío muy juicioso. En fin. Le pasa a algunas personas. Sobre todo si han bebido mucho. Pero tú no parece que estés muy borracha.

¿Era Elgar? El comienzo de un concierto de Elgar.

Además eres una melómana. Vaya por Dios.

No. Me lo... me lo prestó un amigo. ¿Tú quién eres?

Uno que vive en esta casa. ¿Y tú?

Me llamo Nura.

Nura.

Vine con un amigo. Me dijo que esta era su casa. Me dijo que podía venir a bañarme. Me dejó la llave. Perdona.

Un amigo.

Se llama Ariel.

Es mi hermano.

No sabía... no me dijo nada.

Bueno... no es algo de lo que valga la pena presumir. Pero tiene este hermano tan antipático. Perdona. Sí, era Elgar. ¿Me guardarás el secreto?

¿Qué secreto?

Que he sacado este trasto de su caja.

Vale.

¿Vale?

Vale. ¿Puedo mirarte?

No voy a tocar. Solo busco una nota.

No. Solo mirarte. Mirar cómo mueves las manos. Aunque toques solo una nota. Solo mirarte.

Esto solo lo hago por las noches. Hoy es muy temprano.

Silencio. Se ha firmado, casi sin querer, un pacto. Se ha dejado una puerta abierta. Casi sin querer.

Vale.

NURA busca sus vaqueros, en el suelo, junto a la puerta. Se los pone y se dirige a la calle.

Hasta la noche.

BRUNO se queda solo, mirando los lugares que ha pisado NURA, sorprendido por ese contrato que acaba de firmar.

¿Vale?

BRUNO sonríe. Y vuelve a buscar la perfección de una nota tenida.

18. DE MEMORIA

Otro día.

NURA mirando aquellas imágenes, estudiándolas. Trata de imitar los movimientos de ARIEL. Trata de memorizar los movimientos, como una coreografía.

19. CORRER

VICTORIA ensaya. BRUNO no parece estar atento. La noche cubre el mundo desde hace horas. Es una noche de luna llena, irreal, lechosa. Así que llevan horas trabajando.

¿Voy al segundo movimiento?

¿Qué?

Estás en Babia.

Perdona.

¿Te pasa algo?

Estoy cansado. Perdona. ¿Paramos un poco?

O sea, que pare yo, quieres decir, porque tú estás ahí como los psiquiatras de las películas. ¿Dónde tenías la cabeza?

En mi hermano. Mi hermano sueña que baila conmigo.

¿Y tú con qué sueñas?

Con el demonio.

Siempre has sido un tío original.

¿Tú nunca has soñado lo del demonio?

Yo sueño que juego al futbol, ya lo sabes. Pero cuéntame el tuyo que seguro que es mejor.

Es el cuarto de baño de la casa de mis abuelos. Estoy allí delante del espejo. Había un espejo en cada pared. Supongo que mi abuelo lo usaba para arreglarse la nuca. Era muy hábil con la navaja de afeitar. Pero los dos espejos producían una composición en abismo, te podías ver repetido hasta el infinito. Yo estoy allí. Y entra el demonio. Es joven y moreno. Otras veces soy yo mismo, tiene mi cara y va vestido de negro. Sonríe. Me mira y me dice "lo siento, pero es así: no puedes dejar de tocar. No dejarás de tocar nunca".

Silencio.

¿Es que quieres dejar de tocar?

No. No sé.

¿Has pensado alguna vez en dejar de tocar?

Silencio.

¿Fue eso lo que pasó?

¿Cuándo?

Cuando aquello. Lo del accidente. Ese día.

¿Estabas allí?

¿En el concierto? No. Lo estaba oyendo por la radio.

Silencio.

¿Qué pasó? Perdona...

No. Está bien. A ver. Salí. Me aplaudieron Me senté. Afiné la tercera. Miré a la sala. Pensé en las notas. Pensé en el sexto compás, en el ataque. En el silencio que se crea después del ataque. Pensé en la partitura. Alguien tosió. Me di cuenta de que llevaba allí un rato. Tal vez varios minutos. Alguien más tosió. Me faltó el aire. Pensé que no me importaba tocar. Pensé que no me importaba estar vivo. Pensé que quería dormir. Me levanté. Dejé caer el chelo. Hizo un ruido horrible al caer. Dejé el chelo en el suelo del escenario y salí. Seguí caminando. Es curioso, nadie me lo impidió. Nadie me tocó. Como si estuviera ardiendo. Se apartaban. Salí a la calle. Seguí andando. Empecé a correr. Y a correr. Cerré los ojos y seguí corriendo. No recuerdo el golpe del coche. No quería matarme. No me tiré contra el coche. Solo corría.

Silencio.

Debe de ser la hostia.

¿El qué?

Correr. Debe de ser la hostia.

Silencio.

¿Tocamos? La última.

79

El día del concierto, de la huida. Hacía justo un año que había muerto Guillaume.

Lo he pensado. Sí. Que ya no estaba él. Que no había examen. Que si el maestro no lo iba a escuchar nadie me iba a saber marcar el objetivo. De pronto sentí que no tenía para quién tocar.

El maestro Guillaume. A mí me parecía algo perverso.

¿Guillaume?

No, no él. La situación. Era como si tus padres te hubieran dado en adopción. Una vez los vi juntos en el conservatorio. Pensé en unos campesinos que habían entregado a su hijo al señor duque para que lo tuviera de criado, o algo así.

Tienes mucha imaginación. Pero sí, fue algo así. Hice una audición con él a los catorce años y pasé casi diez a su sombra.

Parecía un tipo como sin vida. Con cara de que le daba todo lo mismo.

Era dulce.

¿Dulce? Una vez pasé a vuestro lado y le oí decirte una cosa. Si me lo llegan a decir a mí, me muero. "Si has conseguido todos tus objetivos entonces es que los has escogido muy bajos". Te acababan de dar el premio de Viena.

Eso me lo decía a menudo. Pero no hablaba del premio. No le importaban los premios. Hablaba de música. Al día siguiente de aquello, me trajo una partitura de Ligeti. La sonata para chelo solo. Y con la partitura me trajo un libro. Y luego me habló de canciones, me cantó una canción y me contó una historia de su familia. J'attendrai. Me dijo que lo que le faltaba a mi música era conocer el mundo en el que esa música respiraba. Y desde ese día cada nueva partitura fue un nuevo libro. Empecé a pensar las notas, a ver lugares y personas dentro de las notas. Empecé a darme cuenta de que somos capaces de convertir el horror en belleza. El horror del mundo en belleza, si lo hacemos de verdad, si no mentimos Si nos jugamos la vida cuando lo hacemos. Eso es lo que me enseñó el maestro Guillaume.

Silencio.

Puede que fuera eso lo que pasó ese día. Me sentí solo. No estaba Guillaume. Y de pronto me di cuenta de que tampoco estaban mis padres. Fue la primera vez en que eché de menos a mis padres. Fue la primera vez que me di cuenta de que estaba solo.

Solo con tu hermano.

Solo con mi hermano.

En realidad, el que está solo es él. Piénsalo. Se podría hacer una peli de esas de muertos, contigo. Te mataste el día del concierto y no te has enterado. Y tu hermano vive aquí solo.

¿Y tú?

Yo soy tu sueño. Los muertos sueñan. ¿No has leído a Shakespeare? A ver: ¿Algo de aquí es tuyo?

¿Qué?

Algún mueble. Algún adorno.

No. Son de mis padres. Mi hermano ha comprado algunas cosas. Y ha hecho otras. Sabe hacer de todo. Ese libro es mío.

A ver. Ah, sí. Te va mucho. Y hasta lo has leído.

Los ojos de VICTORIA recorren las palabras de Soler en silencio; palabras que dicen "La historia de la música es la historia de cómo expresar con las voces, con los sonidos e instrumentos y combinaciones de todo tipo, el terror de vivir, el ansia ante el mañana, el dolor de cada día y el último terror a la muerte."

Cojonudamente. Supongo que de esa estantería las cosas tristes son tuyas y las normales son de tu hermano.

Más o menos.

Y que no has comprado ni una lámpara.

Pues no.

Así que vives aquí como en un hotel.
Eso que tienes ahí también es mío. Y se está aburriendo de esperar a que trabajes un poquito.

Vaale.

VICTORIA vuelve a hacer sonar el violonchelo de BRUNO, pero se detiene. No ha terminado.

¿Qué sabes de tu hermano?

¿De mi hermano?

Sí, ese chico flaco que vive en esta casa.

Lo sé todo de mi hermano. Todos los días me cuenta lo que ha hecho. Se sienta delante de mí y habla sin parar, con las manos. Bueno, no lo sé todo. Porque a veces no entiendo todo lo que me dice. Mueve las manos demasiado deprisa.

Y no le dices que repita.

No. Él quiere contarme cosas. Me parece que no le importa tanto que le entienda; solo que esté con él.

¿Y si te equivocas?

No sé. Puede que me equivoque. Puede que él piense que lo entiendo todo.

20. BLUE VALENTINE

La sala de ensayo parece vacía. Cuando entra ARIEL, tarda en darse cuenta de que NURA está sentada, acurrucada, mirando por el ventanal. Fuera, el día es de una belleza insoportable. ARIEL sonríe y NURA hace un esfuerzo por devolverle la sonrisa. ARIEL está dispuesto a empezar. NURA se coloca a su lado en posición. Los dos miran al espejo y NURA hace un gesto para empezar.

A ver... Y ahora.

ARIEL ensaya. Apenas unos pasos y NURA ordena repetir. Otra vez. Y otra. ARIEL baila bien, pero mecánicamente. NURA lo sujeta. NURA está nerviosa, impaciente. NURA mira a ARIEL. NURA quiere hablar. NURA querría contar el desasosiego de esa tarde tan hermosa pero NURA siempre quiere querer y entender y escuchar y entonces salen de ella preguntas. Los dos quieren entenderse, encontrarse.

¿Cómo es el silencio? ¿Oyes ruidos en tu cabeza? ¿Masticar? ¿Tu sangre?

NURA se levanta. Enciende el aparato de música y suena "Blue Valentine".

¿Me harías un favor?

Claro. Qué quieres.

Escribe esto en el suelo. Con la letra que diga lo que dicen estas palabras.

Vamos a bailar

NURA vuelve al aparato de música mientras ARIEL mira el papel, lo estudia como si fuera un mapa. NURA está de espaldas. Mirando los números que dicen que la canción de Tom Waits ha comenzado de nuevo. ARIEL escribe en el suelo las palabras Te echo de menos.

21. SUICIDARSE ES DE BLANCOS

Ahora estás asistiendo a un momento único. A uno de esos minutos que uno recuerda toda su vida y apenas puede compartir porque apenas puede explicar, como aquel pase de gol que diste en el patio del colegio o el día que tu marido te abrazó cuando estabas pensando que darías la vida por un abrazo o cuando mirabas el cuello de aquella chica, aquel momento dulce y sublime que solo tú supiste ver que sucedía. Una persona afortunada guarda en su corazón cuatro o cinco minutos como este a lo largo de su vida. Un momento sublime. Veinte notas. Tal vez esas que aparecen a los nueve minutos de haber empezado a tocar el konzerstuck de Schumann. VICTORIA todavía siente el vértigo. En BRUNO, en cambio, puedes advertir un desasosiego difícil, amargo, herido. BRUNO tiene una de esas noches en que el demonio anda rondando. En esas noches, BRUNO es capaz de morder sin darse cuenta.

Hostias.

Sí

Lo has oído

Sí

Me ha salido

Sí.

Lo he hecho yo.

Sí.

No lo ha hecho Casals ni Rostropovich ni Janos Starker. Lo he hecho yo.

Sí. Ahora repítelo.

Venga, hombre.

Aquí no vale llegar a la cima y poner la banderita. Hay que llegar a la cima siempre. Hay que repetir y repetir. Volver a estar en el mismo sitio a la misma hora. Para ver si pasa otra vez. No hay otra forma de encontrarlo que acudir a la cita y esperar. Absurdo, ¿verdad?

No me va a salir dos veces en el mismo día.

Pues al parecer se trata de eso. Es lo que odio. Se trata de que todo sea mágico de siete a siete y media. La gente piensa que se trata de practicar y te sale, o de talento o genio o esas paridas, de la inspiración. Es solo esto que te ha pasado: hay un momento en que no miras nada más, en que das lo que tienes, en un segundo algo te pide que te juegues la vida. Es casi imposible explicarle a alguien que te estás jugando la vida en un fraseo, en una página, en unos pasos, en un color. Pero es así. Te juegas la vida. Y a veces no resistes y no sabes qué es lo que te pasa. Es algo tan idiota que no lo puedes compartir con nadie.

Es una gozada.

Tú y yo no nos parecemos.

¿En qué no nos parecemos?

¿Tú cuantas veces piensas en matarte?

Silencio largo.

Yo cuando me duelen mucho las piernas me cago en la puta de oros

Silencio.

Pero suicidarse es de blancos.

Silencio.

Me lo contó un amigo que vivió en Africa. Suicidarse es de blancos. De gente que cree que el dolor tiene fondo y que no se puede sufrir más. Pues se puede sufrir más. Y si se puede sufrir más también se puede sufrir menos. Y puede haber un día en que te pase algo bueno. Si no hubiera aguantado todo el dolor que he aguantado no estaría hoy aquí contigo. No digo que esto sea el paraíso ni tú San Pedro, pero para mí esto vale la pena por los días hijos de puta.

Los días hijos de puta. Es una buena descripción.

Te la regalo.

Silencio. BRUNO mira a VICTORIA. BRUNO mira de verdad a VICTORIA. Descubre en su boca un gesto crispado, un gesto de rabia que no responde a las palabras que dice.

¿Estás bien?

Me duele la pierna, joder.

Pues aprovéchalo. Toca.

No. Espera. Tengo que decirte una cosa. Sé que intentaste matarte hace un año. Me lo ha contado tu hermano.
Eso es una historia vieja. ¿Te contó cómo fue? Fue ridículo. Supongo que cuando fallas siempre es ridículo. Supe de esa medicina porque la usó un amigo de un amigo. Robé una receta a un médico, un amigo de mi padre, fui a

pedirle calmantes para el dolor de la espalda. Me salvaron por pura casualidad. Porque el farmacéutico me reconoció. Era un apasionado de Beethoven. Tenía mi disco con los Werke fur cello. Y llamó al médico para comprobar la receta. Donde menos te lo esperas aparece un melómano. ¿Crees que lo del coche fue que quise matarme?

¿Lo fue?

No lo sé. Te juro que no lo sé. Pero ahora estoy bien. Cojo, pero bien. Ahora me creo eso que dices, eso de que puede haber un día en que te pase algo bueno y habrá valido la pena aguantar hasta ese día. Te estás escaqueando. Toca.

22. Y HABLAN DE DOLORES

NURA enciende la cámara. NURA enciende el aparato y suena el violonchelo de BRUNO. NURA baila sobre las palabras que dicen te echo de menos. Sus pasos la llevan a la casa de BRUNO, a sentarse frente a BRUNO, a escuchar esa música en las manos de BRUNO.

BRUNO toca para NURA.

Me gusta eso.

¿Qué?

Eso que haces con la muñeca.

Lo imita.

Es como si movieras la mano dentro del agua.

Todo está ahí, en la muñeca. Busco eso que decía Doménico Mazzocchi, un músico de hace cuatro siglos: que no se sepa cuando acaba el sonido y cuando empieza el silencio.

Te duele.

Claro. Pero si no vuelve a funcionar no podré volver a tocar como antes.

¿Y quieres tocar?

No lo sé. Últimamente creo que quiero poder decidirlo. Y no sé si podré decidirlo yo o lo decidirá mi cuerpo. De todas formas, se vive con el dolor.

Lo que duele siempre te manda recuerdos.

Lo tuyo es más duro. Las puntas y todo eso.

Eso de que no se tiene que notar lo que te cuesta y estás llorando de rabia de lo que duele. Pero como te lo enseñan cuando eres una niña tienes como un orgullo por ese dolor.

Cada uno paga su impuesto. A los de mi gremio, la espalda y los hombros. Sobre todo, esto. El codo de tenista, le llaman. Los tenistas son más populares que los violonchelos.

Para bailar, sobre todo las rodillas y los pies. Y la espalda. A mí me tuvieron que operar de la rodilla, hace seis meses. Me dejaron esta cicatriz de recuerdo.

Pero puedes bailar.

Un rato. Es igual. Me quedaban pocos años. En lo mío tiene fecha de caducidad. Es curioso lo de las cicatrices. Las cicatrices siempre son jóvenes. No dejan que las olvides. Pero tenemos suerte. Otros tienen cicatrices y no tienen música.

Me gusta la música.

Para tu oficio es una ventaja.

Me gusta la música porque dice lo que no saben decir las palabras.

No crees en la gente.

¿Por qué dices eso?

No crees en las palabras

No es eso. No hablo de mentiras. Hablo de incapacidad. Digo que las palabras no dicen lo que nos pasa. No pueden. La música sí.

Eso es verdad.

Hay una que me gusta. Una palabra que me gusta.

A ver.

Transido.

Transido.

Atravesado. Atravesado por el dolor. Atravesado por el amor. Atravesado por la belleza.

Toca unas notas. Silencio.

Eso que atravesó a Bach me atraviesa a mí y te atraviesa a ti al escucharlo. Y nos une para siempre.

¿Por qué tocas de noche?

Para que me escuchen los muertos.

Los muertos.

Mi maestro, mis padres. Mi abuelo. Mi abuelo también era músico. Este instrumento era suyo.

Me había parecido que era un poco viejo.

Bueno, ya lo era cuando lo compró mi abuelo. Toco el violonchelo porque cuando lo hago me acompaña él. Lo normal es que hubiera tocado el piano.

¿Y eso por qué?
Prefiero estar solo. Con el piano no necesitas a nadie más. Y tú tocas con tu abuelo.

Sí. Este chisme es mi herencia. Lo demás es de mi hermano. Estoy aquí de ocupa. Y tú y mi hermano...

No. No. Yo tengo pareja. Está trabajando fuera. Aquí no encontraba. Está en Canadá. Pasando frío.

Mi hermano sueña que baila conmigo.

¿Tú bailas?

No. Nunca...

Eso hay que remediarlo.

Es que no sé.

Haz eso que haces con el brazo derecho.

¿Qué?

Lo que haces cuando tocas. Mueves la muñeca así. Hazlo de pie. Sigue.

NURA baila alrededor de BRUNO. Incorpora su cuerpo al movimiento de BRUNO. Apenas unos pasos. Paso a dos de BRUNO y NURA. Que enlaza de nuevo y NURA vuelve a su lugar y a las palabras en el suelo y...

23. ESTOY CANSADA DE PODER CON TODO

NURA sigue bailando y sus pies pasan por el trazo de las letras. Su cuerpo baila una música que tiene dentro el olor de la primera tierra mojada, el olor de una lluvia fina y fresca de verano. Apaga el aparato y la cámara.

VICTORIA está en el estudio. No mira a NURA.

¿Y si se lo dijeras tú?

¿Yo?

Tú le haces bien. Porque contigo no se nota diferente.

¿Conmigo? ¿Por qué dices eso?

Porque tú tienes eso que él tiene pero a ti no te hace daño. Es como el cuento aquel del demonio en la botella. Tú tienes magia, eres diferente, pero no te da miedo.

¿Miedo? ¿De qué?

Eso es, ¿lo ves? Cada uno descubre su hándicap en algún momento. Está bien lo de hándicap. Hándicap significa diferencia: pesas más que los otros o menos que los otros, eres más alto que los otros o más bajo que los otros. Cada uno descubre en algún momento que es diferente. Bruno lo descubrió hace poco. Bruno vio la mirada de los otros. Vio que era diferente. Vio que alguien diferente da miedo. Que lo maravilloso también da miedo. Porque no lo entendemos. A ti te da igual ser de otra manera.

Yo soy igual que todo el mundo.

Sí. Eres igual de distinta que todos. Y haces algo maravilloso. Haces que todo sea lo normal. ¿No te has dado cuenta? Este es el único sitio donde no hago que parezca que me como el mundo. Por ti, porque contigo no hay que ser de ninguna manera, no hay que ser fuerte ni listo ni bueno ni malo. Estoy muy cansada. Estoy cansada de pelear, de meterme en todas las peleas, joder, estoy cansada. No me quedan fuerzas para esto. No hay más remedio. Se lo tengo que decir.

Puedes esperar.

No. Me han propuesto un concierto. Uno de verdad.

24. LA VERDAD

VICTORIA entra en la casa de BRUNO. BRUNO ha estado preparando el arco para VICTORIA. Ha pasado la resina por el arco despacio, sonriendo, pensando en comentarios, en nuevos sarcasmos, en bromas. VICTORIA entra y no deja lugar a nada. No quiere dejarse llevar por el miedo a perder a su amigo y hace lo que tiene que hacer.

Me han propuesto dar un concierto. Uno de verdad.

¿Con orquesta? Estás muy equivocada. Esto es más difícil que muchos conciertos de chelo y orquesta. En cuanto acabemos con este nos ponemos a prepararlo. A este paso vas a necesitar un manager.

No. A ver: ahora sí me han propuesto dar un concierto. Lo de antes me lo había inventado.

¿Cómo...?

Era mentira. No había ningún concierto. Ahora sí.

Esto es increíble. Pero tú de qué vas.

No se me ocurrió otra cosa. Si te hubiera dicho que venía a ayudarte, que venía a estar contigo por si necesitabas ayuda, me habrías mandado a la mierda.

BRUNO mira a VICTORIA. BRUNO no entiende nada y solo ve que la puerta que estaba abriendo se cierra otra vez. BRUNO no sabe que esto no es cálculo ni engaño, no es la amabilidad profesional de los que se han preocupado por él porque se han preocupado por su gira de conciertos ni la falsedad de los que odian eso que hace porque no pueden entrar en el mundo que significa. BRUNO no sabe ver que lo de VICTORIA es verdad y deja que salga por su voz un veneno hondo macerado en años de habitaciones vacías.

Qué hija de puta. ¿Qué te he hecho? ¿Qué te he hecho en toda mi vida para que vengas ahora a burlarte de mí? Joder. Cómo no lo he visto. La mosquita muerta, la amiga de los cojones. Esperando. ¿Desde cuándo esperas? ¿Desde el conservatorio? ¿Te hice algo malo? ¿Es solo envidia? ¿Has disfrutado viéndome hecho mierda? Qué imbécil he sido.

Bruno, no… yo venía para ayudarte.

¿Tú? ¿Pero quién te crees que eres? ¿A quién quieres ayudar? Arregla tu vida y déjame en paz. Has venido a verme hundido, a disfrutar viendo que no me atrevo a tocar. Has venido a reírte de mí.

¿Quién te ha hecho tanto daño? ¿Cómo puedes pensar eso?

Tenía que haberlo sabido. Era una puta mentira.

¿Quieres saber la verdad?

Ya sé la verdad. La verdad es que estoy solo, como siempre.

Me llamó tu hermano. Tu hermano tenía miedo de que lo volvieras a intentar.

¿Que mi hermano....? Ah, claro. Te contrató. ¿Cuánto te paga? Seguro que eres más barata que un psicólogo. Y mucho más que una puta.

Pero qué dices.

Está bien. Clases gratis y un sueldecito. Aunque con las clases que has dado no esperes un milagro. Eso va a ser lo más divertido. Verte hacer el ridículo. Va a ser magnífico ver cómo haces el ridículo.

No. No, por favor, Bruno.

Ya sabes lo que dicen. Ninguna buena acción sin castigo. No puedes ser tan hijo de puta.

No sabes lo que tengo dentro. No sabes lo que puedo ser.
Silencio.
Mírala, cómo llora. Pobrecita.
BRUNO sale hacia el jardín. VICTORIA le coge del brazo
pero BRUNO se zafa.

No me toques.
Con ese gesto, VICTORIA pierde el equilibrio. Cae al suelo.
El va a ayudarla.

Ni te acerques.
Con gran dificultad, VICTORIA sube a la silla y se marcha. BRUNO se
queda solo. Solo. Se da cuenta a la vez de lo cruel que ha sido y de con quién
lo ha sido. Piensa en el dolor causado, pero piensa en el engaño, se enfurece,
llora. Se rompe. Entra ARIEL, de la calle. Ve a su hermano en el suelo.
Va hacia él. Lo toma por los hombros, pregunta.

Qué te pasa.
BRUNO no le responde, lo rechaza. Le da la espalda.
Habla a sabiendas de que ARIEL no puede saber lo que dice.

Te vas a reír de tu puta madre.

ARIEL mira alrededor. No entiende nada. Obliga a volverse a su hermano.

¿Y Victoria?

Se ha ido. Me ha contado que era mentira. Me ha contado que la llamaste tú.

¿Se ha ido? ¿Le has dicho que se fuera?

Ya os habéis reído de mí bastante.

Eres imbécil.

ARIEL coge el teléfono. Se lo ofrece. BRUNO lo ignora. ARIEL marca. Se oye la voz de VICTORIA al otro lado de la línea. ARIEL trata de hablar. Emite sonidos desesperados. BRUNO está perplejo y sobrecogido ante el esfuerzo desesperado de su hermano. Le quita el auricular y lo tira al suelo. Pelean. Con rabia, soltando su rabia. ARIEL es más fuerte, o está más furioso. Deja a su hermano en el suelo y se va.

25. NO SÉ VIVIR

Tus ojos ven algo insólito. Tus ojos ven a BRUNO en el estudio de NURA. Extrañeza. Es la primera vez que lo ves a la luz del día. Se mueve despacio, como si temiera romper la luz de oro que entra desde el ventanal.

No sé vivir.

NURA mira a BRUNO. NURA no es hábil con las palabras. No suele ser hábil con las palabras. Pero intuye que ahora no necesita palabras. Nura escucha el silencio de BRUNO. BRUNO parece un niño perdido en un día de mercado.

Busco a mi hermano. Y a Victoria. He sido un imbécil.

Un poco sí. No te has puesto en sus zapatos. ¿Sabes por qué está aprendiendo a bailar? Para poder estar más cerca de ti. Para inventarse un idioma y que ese idioma le ayude a saber qué te pasa por dentro, a traducir tu idioma.

Como en una piedra egipcia que hay en un museo. Y tú no te has puesto nunca en sus zapatos.

No es verdad. No puedo vivir sin él.

Pues él no lo sabe. Si lo supiera te habría contado esto, que no sé qué significa.

Repite los signos de ARIEL con una gran precisión. El sueño del lago.

Qué es.

No lo sé. Lo hizo Ariel. Creo que me quería contar algo para desahogarse. Pero creo que era algo importante. Grabo los ensayos y la cámara estaba encendida. Lo he aprendido a base de repetir, pero no sé que significa.

Hazlo otra vez, por favor.

NURA hace ante BRUNO los movimientos. BRUNO traduce. BRUNO traduce las palabras que tú ya conoces; o tal vez tú las escucharás ahora por primera vez. BRUNO se queda estupefacto.

Es un sueño de tu hermano.

¿De Ariel?

Sí.

BRUNO acaba de mirar el fondo de un pozo. BRUNO acaba de mirar en el fondo del corazón de su hermano. BRUNO acaba de darse cuenta de que habita el mismo lugar oscuro, el mismo miedo, el mismo desamparo. Está sobrecogido.

Yo sueño algo parecido. Pero es un río en vez de un lago. Es de noche. Y estoy solo.

No estás solo. Estoy yo y está tu hermano. Y está Victoria. Sobraba todo lo del concierto, fue una gilipollez. Me ha tratado como a un niño pequeño.

No es que tú te estuvieras comportando como Einstein.

Tenía problemas.

Muy original, eso de tener problemas. La gente, por lo general vive de puta madre. A nadie se le muere gente, nadie tiene gente enferma, nadie se queda sin trabajo. Perdona, no te estoy quitando la razón. Sé lo que te pasa. Yo he tenido algún rato esa sensación. Sé lo que es. Te pesa la vida y te gustaría irte a la mierda. Es una incapacidad, como otra cualquiera. Unos no pueden oír o no pueden andar, otros no pueden con la vida. Todo se arregla igual. No estando solos. Menuda chapa te he dado. Anda, vete a casa. Yo los buscaré.

Me gusta tu planeta.

Con esta luz te saldría otra música.

¿Esa es la cámara de los ensayos? ¿Le puedo dejar un mensaje a Victoria?

Claro.

NURA pone en marcha la cámara. BRUNO busca una silla,
se sienta frente al objetivo.

Esto es un mensaje para mi amiga Victoria. Este es un mensaje para pedir perdón y para que Victoria sepa... Bueno, esto es para ti.

BRUNO mima frente a la cámara los movimientos de sus manos tocando
el violonchelo, su mano izquierda recorriendo el mástil, su mano derecha
moviendo el arco como un mar en calma que nos lleva a la luz tranquila
sobre las olas, al sonido de un silencio sereno, a la piel querida rozan-
do la propia piel. Y ves a NURA sentada en el suelo y a VICTORIA
que ha entrado en el estudio de NURA y mira a su amigo. BRUNO
termina su pieza muda y nota los ojos de VICTORIA en su espalda.
Se arrodilla para poder abrazar a su amiga. Sin una sola palabra.

26. ENCONTRAR EL SILENCIO

NURA y VICTORIA abrazan a BRUNO. Un abrazo largo, esperado.
Un abrazo que dice eres parte de mi vida. Entra ARIEL.

En el hospital hubo un momento en el que se me abrió...
no sé, algo así como la puerta de la muerte. Hay un momento en la noche de los hospitales, cuando la noche ya
lleva mucho camino, muchas horas apretándote, en que
ya no puedes más, en que el miedo te lleva a pensar que
casi es mejor dejarse, que de todas formas no va a llegar
el día. Me estaba muriendo. Ya solo tenía que dejarme ir.
La música. La posibilidad de volver a escuchar música me
empujó para salir. En casa fue un infierno diferente. En
casa la música no me pareció bastante. En casa volvió la
pregunta. Para qué vivir. Uno piensa eso porque piensa
que está solo. Cuando te quedas solo te viene a visitar la
muerte. La pura muerte. Cuando te quedas solo te vienen
a visitar algunas notas de Ligeti y el horror del mundo.
Con mis dedos toco el dolor del mundo, porque la música
es la historia viva de la humanidad. Eso decía un libro que
me dio mi maestro Guillaume. Y a veces te viene a visitar
la idea de que la música no puede compensar el mal y que
entonces nada vale la pena. La idea de que todo el mal es
posible y fácil. De que no vale la pena un segundo de belleza si todo el mal es posible y fácil. Y recuerdas que has
querido mirar y has querido saber. Y te acuerdas del mal
que has conocido y eres incapaz de pensar en otra cosa. Y
no tienes fuerza y quieres dejarte caer en un mundo de silencio, de muerte en vida. Entonces se acercó mi hermano
y os trajo a vosotras.

BRUNO y ARIEL se miran. Tal vez se han encontrado.
Tal vez por fin se han encontrado y las cosas pueden comenzar.

VALE.

Madrid, septiembre de 2010/febrero de 2013

NINA

PREMIO LOPE DE VEGA 2003

JOSÉ RAMÓN FERNÁNDEZ

> *Pero no consigue llegar hasta ella, que parece no oírle. Se*
> *da por vencido, encerrándose en sí mismo, sereno y sobrio,*
> *sin poder protegerse ya con el alcohol.*
>
> Eugene O'Neill, Largo viaje de un día hacia la noche

> *A nadie le interesa el pesar de las almas perdidas ni sus tormentos.*
>
> Edward S. Curtis

> *Y se hace el silencio, alterado tan solo por los hachazos*
> *que alguien descarga, a lo lejos, contra los cerezos del jardín.*
>
> A. P. Chejov, El jardín de los cerezos

Es un pueblo de costa, de unos quince mil habitantes en invierno, que se multiplica por cinco en vacaciones. Cuando se van los turistas queda todavía sol, y mucha luz. Y días muy largos, que se llenan a base de televisión y de paciencia. Estamos en otoño; días de oro, largos y lentos.

PERSONAJES:

NINA
31
BLAS
36
ESTEBAN
57

Es un hotel grande, pero prácticamente no hay clientes. Tal vez se los mencione: "los viejos", o "los alemanes". La recepción está cerca de la entrada. El pabellón pudo ser un salón de baile. Tiene techos altos y un gran ventanal que da a la duna y al mar. Lo usan como salón para los desayunos y después lo abren como restaurante. Hay una parte que trata de ser más acogedora, como ese espacio perdido de todos los hoteles que llaman salón de televisión. Desde esa parte del pabellón se puede ver la puerta. Así que ESTEBAN no está en la recepción del hotel, sino en el pabellón, sentado en un sofá, frente a la televisión encendida. No atiende a la televisión. Está preparando aparejos de pesca: anzuelos, sedal. Tiene junto a sí una caña grande y otra pequeña. En alguna parte, a mano, un cigarrillo, una cerveza y unas olivas. Es de madrugada. En la televisión hay programas comerciales, de esos que venden unas gafas de sol o una crema para cubrir los arañazos de los coches. Tal vez Esteban tenga suerte y el comercial sea de cañas de pescar plegables, americanas. El sonido es casi inaudible. ESTEBAN entra a por algo a la cocina, detrás de la barra.

El ventanal del pabellón ofrece la negrura de una noche sin luna, en la que se puede adivinar la lluvia. La sombra de NINA pasa cerca del ventanal en dirección al lugar en el que está la entrada. Cuando NINA abre la puerta podemos advertir que llueve con fuerza, con un viento rabioso. NINA entra y se dirige a la recepción. Apoya su mano en el mostrador y queda un rato de pie, mirando al vacío. Respira con dificultad. Ha llorado y gritado por el camino. Ya solo queda en su cuerpo un apremiante deseo de quietud. Ha caminado durante largo rato. Está empapada. La ropa, ligera, de quien se ha confiado al ver la luminosidad del día. Se había puesto guapa para alguien. Pasa el tiempo. Solo se oye el rumor del programa de televisión. ESTEBAN vuelve; no se ha dado cuenta de la entrada de NINA. Ella prefiere no avisar. Prefiere no cruzar palabras con nadie. Vuelca su cuerpo sobre el mostrador para tratar de coger la llave del cajetín. No la alcanza, la llave cae al suelo. ESTEBAN levanta la cabeza como un mastín.

ESTEBAN

Voy.

Esa palabra no significa premura. ESTEBAN coloca sus aparejos en las cajas y los compartimentos correspondientes, como hace quien ya se ha clavado muchos anzuelos y sabe que la prisa es el demonio. Entre tanto, el cuerpo de NINA, vencido sobre el mostrador, es de cristales. Mientras se acerca, ESTEBAN se va haciendo una idea de la situación: una muchacha joven, a la que no ve la cara, tiene fija la mirada en los cajetines para evitar que sus ojos se encuentren.

*ESTEBAN se agacha a recoger la llave y la cuelga
de la alcayata que le corresponde.*

Buenas noches.

NINA

Buenas noches. La dos cero seis.

*ESTEBAN le da la llave. Procura no hacer evidente
la curiosidad de sus ojos.*

ESTEBAN

¿Quiere que la despierte a alguna hora?

NINA

¿Está abierto el bar?

ESTEBAN

Ya ha cerrado. Le puedo preparar algo.

NINA

No.

*NINA camina hacia el ascensor y pulsa el botón de llamada. Espera unos
segundos. No da las buenas noches. Ella no es así. Ella pide las cosas por favor, da las gracias, es dulce. Ese hombre que le ha dado la llave le ha ofrecido
prepararle algo para que cene. Preparar algo para ella. Pero no puede soportar hablar con nadie, tiene una bola de alambre en la garganta, una bola que
se ha fabricado gritando por el camino, gritando por encima del ruido de las
olas. El ascensor llega. Entra y cierra. ESTEBAN coge una carpeta, pasa
páginas. Ahí está: 206. El carnet. ESTEBAN camina hacia el pabellón con
el carnet en una mano y el cigarrillo en la otra, cerca de la boca, sin llegar
a dar una calada. Se detiene. Se pasa la mano por el pelo, llenando los rizos
grises de ceniza. Es descuidado con el tabaco, se sacude la ceniza del pelo y
del suéter. Apaga la televisión. Se sienta y mira el carnet. Levanta los ojos,
como si pudiera ver a la muchacha a través del techo. Apaga el cigarrillo
y queda un rato mirando el carnet, como si estuviera leyendo la vida de
aquella muchacha. Por fin saca un pequeño teléfono móvil de su bolsillo.
Teclea un número de memoria.*

ESTEBAN

Blas. Que vengas. En cuanto puedas, pero ya.

*ESTEBAN se queda unos segundos mirando a la nada. Por fin se acer-
ca al aparador donde están la televisión y un pequeño equipo de música,*

*y busca algo entre los cajones. Saca un álbum de fotos. Le pasa la palma
de la mano para quitarle un polvo que no tiene; que podría tener, porque hace tiempo que no se abre. Se sienta de nuevo y pasa las páginas
despacio hasta detenerse en una. El ascensor se ha puesto en marcha de
nuevo. Al oírlo, ESTEBAN mete el carnet en un bolsillo. NINA sale
del ascensor y se dirige al mostrador. Sigue con la misma ropa mojada.
ESTEBAN se levanta y va hacia ella.*

ESTEBAN

¿Querías algo?

NINA

Perdone. No funciona la línea exterior.

ESTEBAN

Vaya. Puedes llamar desde aquí.

*ESTEBAN saca un teléfono de la mesa que está tras el mostrador.
NINA se pone el auricular en el oído y queda absurdamente muda, mirando las teclas. Está haciendo un esfuerzo sobrehumano por hacer las
cosas normales que hace todo el mundo. Por fin, baja con sus dedos
la tecla de línea y mira a ESTEBAN.*

NINA

Perdone. ¿Sabe el número de la estación de autobuses?

ESTEBAN

Sí, toma, reina.

*Mientras NINA marca y habla, ESTEBAN se acerca de nuevo al pabe-
llón. Coge su paquete de tabaco y enciende un cigarrillo. Enciende de
nuevo la televisión y hace como que la mira. La conversación es breve.
NINA cuelga y se queda unos segundos mirando al vacío. Por fin busca
con la mirada a ESTEBAN y se dirige hacia donde él está.*

NINA

Perdone.

ESTEBAN

Dime, hija.

NINA

¿Tiene hora?

ESTEBAN

Las dos y cuarto.

NINA

¿Me podrá despertar a las seis?

ESTEBAN

Claro. ¿Vas a coger el de las ocho?

NINA

¿Qué?

ESTEBAN

El autobús de las ocho.

NINA

Sí. ¿Me puede hacer un favor?

ESTEBAN

Claro, dime.

NINA

¿Me puede llamar a las seis y otra vez a las seis y cuarto?

ESTEBAN

Claro. Tendrás que cenar algo. Si no, no te vas a dormir.

ESTEBAN se levanta del sillón y se dirige a la barra del pequeño bar.

NINA

No se moleste. Voy a tomar una pastilla.

ESTEBAN

Más a mi favor. Lo que puedes hacer es darte una ducha para quitarte el frío del aguacero, luego bajas y, mientras, se ha calentado la plancha y te he preparado algo. Mejor me llamas cuando estés lista y así no se te enfría.

NINA descubre que necesita dejarse llevar, obedecer como lo hacen los enfermos. Ni siquiera responde. Deja en el aire un esbozo de sonrisa y se va hacia el ascensor. De pronto, un trueno lleno de furia hace presente la tormenta que se ha desatado en el mar. La luz se va. ESTEBAN se vuelve hacia NINA, que se ha quedado petrificada frente a la puerta del ascensor.

Espera.

NINA no puede moverse. Está temblando. ESTEBAN
se acerca al mostrador, abre un cajón y saca una linterna.

Súbete esto por si acaso. ¿No te dará miedo lo oscuro?

NINA coge la linterna y mira a ESTEBAN como si no supiera de dónde había salido. Se va por la escalera. ESTEBAN la ve irse. Vuelve sus ojos a la ventana, el lugar de donde viene la mínima luz que ha quedado en la estancia. Tal vez algún relámpago. El viento y el agua la golpean con violencia. ESTEBAN considera el problema, y mientras lo hace echa de menos un cigarrillo. Camina con seguridad. Conoce el lugar palmo a palmo, no necesitaría abrir los ojos allí dentro. Se acerca a la barra del bar y coge uno del paquete. Cuando lo enciende repara en que otro duerme en el borde del cenicero. Coge de algún sitio, tras la barra, otra linterna, y se acerca al lugar donde está el automático. Vuelve la luz. ESTEBAN vuelve a sus aparejos de pesca. Entra BLAS, corriendo para no gotear demasiado con el paraguas, con el camino aprendido hacia el paragüero.

BLAS

Esta noche, seguro que se sale el río.

ESTEBAN

No. Esto ya está amainando.

BLAS

Joder, amainando.

ESTEBAN

Yo sé lo que me digo. Estabas cerca.

BLAS

Ya te lo he dicho. En lo de Ángel. Estamos a ver si arreglamos la barca del padre. Por tenerla.

ESTEBAN

Mira, a ver si te suena.

ESTEBAN continúa preparando las cosas: un termo, unos bo-cadillos... para la pesca. BLAS sostiene en su mano el carnet que le ha entregado ESTEBAN. Es como si leyese en él.

BLAS

Es Nina.

ESTEBAN

Yo no la he conocido a la primera. ¿Cuánto hace?

BLAS

¿Desde que se fue?

> *A menudo, ESTEBAN no se molesta en añadir algo de pie-*
> *dad a sus gestos. El vago ademán con que afirma está añadiendo*
> *todo tipo de dudas sobre la inteligencia de BLAS.*

Diez años.

ESTEBAN

Yo la tenía perdida de vista desde que iba al colegio. Era de la clase de Nuria. Acabo de ver una foto de cuando tenían doce o catorce años. La he conocido de milagro. Tiene otra expresión. Como si hubiera pasado por una guerra.

> *ESTEBAN coge sus cosas detrás de la barra para irse.*
> *Ordena todo y por fin se encara con BLAS.*

¿Vas a hacer algo?

BLAS

¿Qué?

ESTEBA

Que si vas a hacer algo.

> *BLAS no se mueve. Sabe lo que ESTEBAN quiere decir. Pero es como si*
> *alguien le preguntase a una piedra por qué no echa a andar de una vez.*
> *ESTEBAN coge su tabaco y ofrece a BLAS. Fuman.*

BLAS

¿No sabes a qué ha venido?

ESTEBAN

Sé que ha entrado por esa puerta hace un rato, que no iba vestida como para ir a visitar a sus padres y que ha estado llorando. Supongo que si ha venido por aquí es que no le van bien las cosas. Pero solo lo supongo. Solo puede haber venido a su casa, que no creo, o a la casa grande, la de su novio. ¿Tú no estabas allí?

BLAS

No. Ya te he dicho que estaba donde Ángel, con la barca de su padre, para ver si la arreglamos.

ESTEBAN

Sí, ya me lo has dicho. ¿Y tu mujer?

BLAS calla. La pregunta no era para responderla; solo para de-jar las cosas claras. ESTEBAN deja que salga el humo de su boca y queda mirando cómo se desvanece antes de volver a hablar.

Tu mujer está en la casa grande. Pues lo único que te pue-do decir seguro de esta muchacha es que estaba hecha mierda. Y que la única manera de que tu mujer te vuelva a hacer caso es que esa muchacha se quede en el pueblo.

ESTEBAN ha cruzado la raya de lo que normalmente habita el silencio. BLAS mira su cigarrillo. Da la espalda a ESTEBAN. No quiere llorar.

Blas. Ven aquí. Siéntate y escúchame. Ven aquí, hostias.

BLAS se sienta en un sillón. No es capaz de levantar la vista. ESTEBAN pone una silla frente a BLAS y se sienta en ella. Mira a BLAS, como si decidiese el camino para subir a una loma. Habla despacio.

Mira, Blas: yo no soy quién para decirle a nadie cómo tie-ne que llevar su vida. Tú eres una buena persona y no tienes la culpa de cómo están las cosas. Bueno, si lo voy a decir todo, me parece que te equivocaste. Ya ves que soy sincero. Pero como tú piensas que no te equivocaste y sigues queriendo a tu mujer, pues tendrás que hacer algo, ¿no te parece? Porque tú la sigues queriendo, y sigues queriendo arreglar esto.

BLAS tarda en hablar. Hace esfuerzos para mantener el tipo. Lo que quiere su cuerpo es llorar, lo que busca su cara es una mueca de desesperación. BLAS pelea para someter todo eso.

BLAS

¿Sabes que una vez hablé con él?

ESTEBAN

¿Con Gabi?

BLAS

Sí.

ESTEBAN

¿De tu mujer?

BLAS

Sí. Le pedí que la dejara en paz. Me dijo que él nunca ha andado detrás de ella. Le dije que ya lo sabía. Le dije que sabía que es mi mujer la que no lo deja en paz a él. Me dijo que él no podía hacer nada, que era yo quien lo tenía que resolver. Se marchó y me dejó con la palabra en la boca. Si hubiera tenido un vídeo para grabar esa conversación podría explicarte lo que es ser una mierda. Aunque no hace falta. Tú ya me conoces.

ESTEBAN

¿Has hablado con él y no has hablado con tu mujer?

BLAS

¿Sabes por qué me he ido esta noche a donde Ángel? María y yo hemos ido a la casa grande. Me ha dicho que volviera para casa y que la dejara en paz, que ella ya iría. Han venido todos a pasar el puente... Y Gabi, claro.

A Blas le cuesta seguir hablando. Tiene en su cabeza los ojos de María mirando a Gabi mientras él sale de la casa grande sin que a nadie le importe si está vivo.

¿María? Yo no existo para María. Además, si hablo con ella de esto, puede ser que me deje.

ESTEBAN

Bueno, ya está bien. Blas, perdóname, pero te voy a hablar muy claro. Tú no vas a poder recuperar a tu mujer hablando con ella. Ella no va a dejar a Gabi mientras le haga un poco de caso, y ese muchacho es casi tan sin sangre como tú. Ese muchacho se folla a tu mujer por no molestarse en quitársela de encima. Le acepta que se meta en su cama como le aceptaría que le llevase un flan los domingos.

BLAS

Te estás pasando.

ESTEBAN

No, no me paso y tú lo sabes. Mira, Blas: la única manera de que se arreglen tus cosas es que Gabi le diga a tu mujer que no vuelva a su casa, y la única manera de que pase eso es que Nina se quede en el pueblo. Si ha subido a la casa grande está claro que no le ha gustado lo que ha visto. Igual si se quedase unos días puede remover un poco las fichas, por lo menos. Así que ya sabes lo que te toca.

BLAS

¿A mí?

ESTEBAN

Sí, a ti. Yo me voy a marchar a casa y dentro de tres horas, si ha parado de llover, despierto a tu chico y me lo llevo a pescar. Y si no, me acuesto y vengo por aquí a mi hora. Esa muchacha quiere coger el autobús de las ocho. Tienes..., joder, cinco horas para convencerla de que se quede.

BLAS

Y qué quieres que le diga.

Suena el teléfono de la recepción, con un sonido ronco, como de chicharra. BLAS se sobresalta. ESTEBAN va hacia el teléfono.

ESTEBAN

Sí, dime, reina. Vale. Te lo prepara un compañero, que yo me tengo que ir. Que tengas buen viaje. Hala.

ESTEBAN coge un chubasquero y los aperos de pesca mientras habla con BLAS.

Está la plancha encendida. Hazle un bocadillo de tortilla francesa. Métele unas rodajas de tomate. Tú haz como que no sabes nada, y que te llevas una sorpresa y todo eso.

BLAS

¿Te vas?

ESTEBAN

¿Qué quieres, que me quede mirando? En esto no te puedo ayudar. No la cagues, Blas. Si esto lo pudiera hacer yo por ti, lo haría, pero es cosa tuya. Venga.

ESTEBAN le ha dado una palmada en la cara, le ha palmeado el brazo. Le ha mirado unos segundos a los ojos, sin poder disimular cierta falta de confianza en sus posibilidades. Sale deprisa, dejando a BLAS en medio de la estancia, como un ciego que no supiera hacia dónde se puede mover sin encontrar un precipicio. Casi por querencia, BLAS se acerca a la barra. Saca un tomate y un par de huevos de la nevera. Comienza a batir los huevos. Considera su posición. Se pone a trabajar de espaldas al lugar por el que ha de venir NINA. NINA baja por las escaleras. Lleva ropa cómoda, un vaquero gastado, una camiseta, unas sandalias que dejan ver sus pies desnudos. Se acerca a la barra y se sienta en un taburete. Ha decidido parecer fuerte. Su voz es apenas audible.

NINA

Buenas noches.

BLAS sigue de espaldas. Está convencido de que no va a saber fingir.

BLAS

Buenas noches.

*BLAS se vuelve, trata de ser natural. Mira a NINA
como si le costase reconocerla.*

¿Nina?

*NINA no había mirado a BLAS. Concentraba sus ojos en el final candente de su cigarrillo. Levanta sus ojos con temor.
Cuando encuentra los de BLAS trata de ofrecer una sonrisa.*

NINA

Blas.

BLAS se muestra alegre, como hace la gente en las fiestas, con un inexplicable punto de distancia, como si imitase los gestos de sus personas mayores. Como si llevase puesto el cuerpo de ESTEBAN.

BLAS

Hostia, Nina. Ya era hora. Nos tenías abandonados.

Quedan por un momento quietos, tensos, como si esperasen a que la tierra se moviera sola. Finalmente, BLAS deja lo que estaba haciendo y sale de la barra secándose las manos. Se besan en las mejillas. Vuelven a mirarse. Empiezan a reconocerse como amigos.

NINA

No me digas que eres el dueño del hotel.

BLAS

¿Yo? ¡Qué va! Trabajo aquí. Llevo la recepción y las cuentas y esas cosas; y los papeles de hacienda, que todo el mundo les tiene más miedo que a una riada. No soy un experto en la cocina, pero te tendrás que conformar; te estaba preparando un bocadillo... Oye, querrás tomar algo.

NINA

Una coca, bueno, casi mejor un torres, es que vengo muerta de frío. Me he empapado.

BLAS sigue interpretando ese papel gastado de pariente del pueblo.

BLAS

Parece mentira, tú que eres del país. Cuando me lo dijo Esteban, le dije "alguna guiri de éstas, que ven una nube y se creen que son pintadas". Toma.

NINA mira a BLAS. Quiere reconocer a su amigo. Sabe que BLAS tiene que estar debajo de ese tipo irreconocible, que habla como hablaban los viejos del bar cuando ellos eran críos. Como un viejo. NINA bebe. Bebe con sed. Bebe con la facilidad que da el haber bebido mucho. Saber beber coñac como si fuera agua precisa tiempo, o bien un aprendizaje muy intenso. NINA casi ha apurado la copa. BLAS sabe lo suficiente de esto como para no hacer comentarios y dejar la botella encima de la mesa. NINA también se da cuenta de que ha explicado algo sobre su vida que no deseaba mostrar, y que ya hay poco remedio. Busca una salida. Sonríe.

NINA

Pero tú eras maestro.

BLAS

Sí. Bueno. Me cansé. ¿Y tú? La peli que hiciste no la trajeron. La van a dar en la tele, ¿no?

NINA

No lo sé.

BLAS

Alguien me lo dijo. No me acuerdo.

NINA

¿Gabi?

Pausa.

BLAS

No. Sí, a lo mejor fue Gabi. No lo veo mucho, pero sí pudo ser él. Él está más enterado. Y siempre habla de ti; si hay alguna noticia de cosas que estás haciendo, siempre la sabe Gabi. Lo de la peli me lo tuvo que contar él. Yo ahora voy bastante menos. Las veo en la tele. ¿Está bien?

NINA

¿Qué?

BLAS

La peli, que si está bien.

NINA

No ha funcionado mucho. Es todo muy difícil. No hay dinero y no promocionan. Ya sabes.

*BLAS hace que no sabe. Sigue sin despegarse
del papel de pariente del pueblo.*

BLAS

Aquí es que lo que ponen en los cines del centro comercial es casi todo americano. El Excelsior lo están arreglando. Lo compró la Caja. ¿Tu papel estaba bien?

NINA

Sí. Lo cortaron mucho. Al final se queda en un ratito. Es lo que dijo una actriz: "Creía que lo único que había hecho era esperar". Lo que he hecho más es teatro.

NINA mira la botella.

BLAS

Fue Bette Davis. La de la frase. Bueno, creo.

NINA

Seguro. Tú eras el Libro.

BLAS

El Libro. Hacía tiempo que no me lo llamaba nadie.

A BLAS le da vergüenza aquel mote. Era el Libro porque leía las críticas del periódico y veía todo lo que traían a los cines. En realidad, sabía poca cosa. No está seguro de si hay sarcasmo en el comentario de Nina. NINA está tomando confianza. Se siente segura. Blas es inofensivo, y hasta puede saber cosas acerca de cómo va todo por allí. Se sirve otro brandy casi de manera mecánica.

NINA

Pues me parece muy mal que ya no vayas al cine. Siempre pensé que si dejabas de ir tú lo acabarían cerrando.

BLAS

Más o menos, es lo que ha pasado. Llevan tres años arreglándolo. Deben de estar encalando con una tiza. Están los nuevos, los del centro comercial de abajo, pero de todas formas se nos hace difícil. Es que hay que andar buscando quien cuide del chaval. Bueno, es que tenemos un chaval.

NINA

¿Con María?

BLAS

Sí.

NINA

Al final os casasteis. Qué bien. Está igual.

BLAS

¿María?

NINA calla.

¿La has visto?

NINA

Y el chaval qué años tiene.

BLAS

Va a cumplir cinco.

NINA

>¿Y no me vas a enseñar una foto?

*BLAS no sabe evitar el regate, no es capaz de indagar sobre dónde
ha visto a su mujer. Tal vez lo mejor sea dejar que las cosas fluyan solas.*

BLAS

>Mira.

*Una foto de un niño sonriente. Diciendo adiós desde un carricoche. La paz
de la vida de las personas. NINA mira la foto y ve los años de azúcar.*

NINA

>¿Es el carricoche del Rubio?

BLAS

>Sí.

NINA

>¿Sigue funcionando?

BLAS

>Del uno de julio al treinta de agosto. Como toda la vida.

NINA

>Antes solo era en las fiestas.

BLAS

>Qué te pasa.

NINA

>Que hace medio siglo que me marché. Daría el alma por
>volver a ser una niña y montarme en el carricoche del
>Rubio.

BLAS

>Hay que ver lo tonta que se pone la gente cuando vuelve
>al pueblo. Me acabarás diciendo que echas de menos los
>mosquitos.

NINA

>No seas borde. Júrame que a ti no te gustaría volver a
>montar en el carricoche.

BLAS

Bueno, yo es que lo he hecho hace tres años. El enano, al principio no quería montar solo.

NINA

¡Qué morro!

BLAS

Pero sí, tienes razón. Aunque yo echo más de menos... Qué mal suena, ¿no? "Echo más de menos", ¿se dice así?

NINA

Tú eres el maestro.

BLAS

Ya, pero yo soy de ciencias. Bueno, que lo que echo más de menos es cuando hacíamos el gamba, como cuando esperamos a que el Rubio se bajase para mear en algún bar y nos subimos al carricoche y le secuestramos a los niños.

NINA

¿Hiciste eso?

BLAS

Cuando teníamos quince años. Con Gabi.

NINA

Yo de eso no me enteré.

BLAS

Tú en verano a veces te ibas fuera.

NINA

Con mis abuelos. Pero solo me fui un par de veranos.

BLAS

Y nosotros nos llevamos cinco años. Cuando hicimos eso tú casi eras clienta del Rubio.

NINA

A esa edad, cinco años son un mundo. Nos enamoramos de los chicos mayores que no se dan cuenta de que existimos.

BLAS

Ya.

NINA

Luego pasan unos años más y os dais cuenta de repente.

BLAS

Sobre todo con vosotras. María, Nuria y tú, que erais el trío de la bomba. Montabais el número en plena calle. Con las coreografías y las canciones y todo eso. Todavía me acuerdo. Bueno, tú, menos. Es curioso.

NINA

El qué.

BLAS

Al final resultó que la más tímida se metió en el mundo de la farándula y las otras son dos mamás jóvenes con la vida hecha.

NINA

Espero no tener nunca la vida hecha.

BLAS

La verdad es que suena mal. Pero no es nada malo. Éste es un buen sitio para vivir. Podías probar. Aquí se está de categoría.

NINA

Hacía un siglo que no oía eso.

BLAS

Qué.

NINA

"De categoría." "Aquí se está de categoría."

BLAS

Ya ves. Te vas unos años y a la vuelta te encuentras que los amigos hablan como los viejos. Y de lo demás ya ni te cuento.

NINA aprovecha la broma y se escabulle. Evita cualquier roce con lo que pueda significar planes. No quiere pasar a hablar de

los deseos. Hace demasiado poco que su único deseo era morirse.
Pasa su dedo índice por la boca de la botella.

NINA

Son las cosas del idioma. Maneras de hablar. Por ejemplo, "perfecto" significa acabado. La verdad es que me gustaría ser una joven mamá con la vida hecha. Por lo menos la mitad de los días. No: más. Últimamente me apetece casi siempre ¿Nuria no trabaja en el hotel?

BLAS

No. No viven aquí. Viven cerca. Tienen un restaurante. Les va bien. La niña la tuvieron hace poco. La podemos avisar y así nos vemos. Cuánto te quedas.

NINA

No. Me voy mañana. Me voy a las ocho.

Mira la botella.

BLAS

Pues vaya. La visita del médico. No te puedes ir.

NINA

Es que tengo cosas pendientes. Tengo que preparar un papel para una cosa en la tele.

BLAS

¿Vas a hacer una serie?

NINA

Es un programa piloto. Si sale, a lo mejor mi personaje tiene racord. Quiero decir que tendría continuidad en otros capítulos.

BLAS

Te tendré que recordar que lo que sabías de cine, tú y toda la panda, se lo debes a los dos eruditos locales, auténticos pozos de ciencia, y que la primera vez que te vi en la cola de un cine estabas esperando para ver Viernes trece o una de esas porquerías.

NINA

Tienes razón. Tú me convertiste en un ser civilizado. Bueno, vosotros. Todavía me acuerdo de la primera vez que fui con vosotros a un pase de los que hacíais en el instituto. La primera de Lars von Trier. "Está usted entrando en Europa."

BLAS

No era la primera. La primera era El elemento del crimen. Yo no la he visto. Dice Gabi que era la única buena. Pero ya sabes cómo se las gasta.

NINA

El Libro cabalga de nuevo.

> *Se acerca. Besa su mejilla.*

Y gracias a ti me pasé una temporada imitando a Annette Bening en Los timadores.

BLAS

Esa temporada la recordamos todos. Especialmente la escena de la puerta.

NINA comienza a reír, aún avergonzada con el recuerdo.

NINA

Calla.

BLAS

Ahí, como una diosa, en bolas, a la puerta de tu casa. Con la llave en la mano.

NINA

Y se cerró.

BLAS

Un golpe de aire. O los dioses, que son buenos a veces. Y la llave era de la tienda. Un espectáculo glorioso.

NINA

Se lo voy a tener que decir a María. Eso fue en la fiesta de fin de año.

BLAS

No. Sí.

NINA

Aprendí un montón viendo pelis con Gabi y contigo.

BLAS

Espero que lo recuerdes cuando te den un Goya.

NINA

¿Siguen echando películas en el instituto?

BLAS

A veces hacen ciclos. Son gente más joven. Ahora es otra cosa. Hace quince años.

NINA

Hace quince años vivíamos en otra dimensión. Joder. A ver si nos vamos a estar haciendo viejos en serio.

BLAS

Yo ya tengo treinta y seis.

> *NINA está cómoda. Empieza a divertirse,*
> *a encontrar viejas claves, a bromear.*

NINA

Lo lamento profundamente, joven. ¿Sabes lo que pasa? Lo que pasa es que estás aquí, en los sillones del pabellón, fumando y viendo llover, y de vez en cuando pasa por delante de ti una pareja de viejecitos, o de jubilados alemanes en pantalón corto, y te sugestionas. Y empiezas a creer que eres uno de ellos. Es que esto, en invierno, parece la película aquella de la música de Mahler.

BLAS

La muerte en Venecia. Es una novela.

NINA

¿La has leído?

BLAS

Venga ya.

NINA

Lo mismo te había dado por leer.

BLAS

No. Bueno, muy poco. Este trabajo deja muchos ratos libres. No, libres no. Muchos ratos muertos. Como la mili. Cuando me harto de pensar en las cosas que tengo que hacer... Me da lo mismo, no te creas, las pienso y no las hago... Pues eso, cuando me canso de darle vueltas a las cosas me pongo a recordar historias viejas. De cuando íbamos en pandilla. Me gusta recordar esa época. Nuria y sus novios; María y yo; tú y Gabi. Hace quince años y parece el siglo pasado.

NINA

Bueno. En términos históricos es el siglo pasado. ¿Qué es lo que más recuerdas?

BLAS

¿De entonces?

NINA

Sí. A ver.

BLAS

A vosotras tres. Descalzas. Bailando. Con vuestras camisas blancas por encima de vuestra falda escocesa demasiado corta. Los increíbles uniformes de vuestro colegio. Pues eso. Las camisas por fuera. Las faldas escocesas. Descalzas. Bailando. Encima del poyete del paseo de la playa. Devórame otra vez.

NINA ríe a carcajadas tapándose la cara con un cojín.

NINA

No me lo puedo creer.

BLAS

Era una visión maravillosa. Debíais de tener quince años.

NINA

Dieciséis.

BLAS

Más a mi favor.

NINA

Míralo.

BLAS

Erais las reinas de la playa. Y nosotros sacrificábamos nuestras neuronas a cambio de veros bailar. Aquella canción sí que era horrenda.

NINA ya se ha puesto de pie, baila con los ojos cerrados y una sonrisa que mezcla el gozo con la huida. Baila en el silencio, con la música dentro, apenas susurrada, durante un minuto eterno y bello. BLAS la mira. Ella deja caer la cabeza hacía atrás. Se deja caer en un sofá. Pone los pies sobre el brazo del mueble. Empieza a estar algo mareada.

NINA

Se me había olvidado la pastillita. Me había tomado un orfidal para dormir un rato. Qué mareo.

Los pies desnudos de NINA están al alcance de la mano de BLAS. No dejan de moverse, de acariciarse despacio sobre el brazo del sofá, como si tuvieran vida propia. BLAS intenta apartar la vista de los pies de NINA. A BLAS le gustaría mucho atreverse a acariciarlos.

Tú odiabas esa música.

BLAS

Con toda mi alma.

NINA

A ti te gustaba el jazz.

BLAS

Sí. Me sorprende que te acuerdes.

NINA

¿Cómo se llamaba el trompetista ese que además cantaba?

BLAS

Chet Baker.

NINA

A ti te gustaba Chet Baker. A María no le gustaba mucho.

BLAS

No. En casa no lo pongo. Me lo traigo aquí. Vengo muchas veces por la noche, a trabajar aquí. En casa, con el chaval, no puedo quedarme con las luces encendidas, y aquí se trabaja muy tranquilo. Para las cosas de cuentas lo peor del mundo es que te interrumpan. Así que me vengo al pabellón, me pongo un cedé de Chet Baker y me lío a darle a la calculadora.

NINA

¿Y María no protesta?

BLAS no sabe si Nina conoce a la María de ahora. La María que prefiere quedarse merodeando a Gabi como una perra y que no puede soportar la existencia de Blas.

BLAS

No.

NINA

A mí me gustaba el trompetista. Cuando cantaba, parecía que había pasado varias noches sin dormir.

BLAS

Seguramente las había pasado. Aparte de que antes de cumplir los cuarenta le dieron una paliza y le partieron todos los dientes. Llevaba dentadura postiza. Espera.

BLAS se acerca al pequeño aparato de música y lo enciende. Suena Chet Baker. La trompeta de Baker parece devolver una íntima alegría a BLAS. Está claro que es su refugio. Oyen la música, tal vez Let's Get Lost, o The Best Thing For You. Los pies de NINA siguen allí, como la llamada del mar.

NINA

No te falta de nada. Te lo tienes montado muy bien. De categoría.

BLAS acusa la frase. Como si a un perro le recordasen en medio del juego que solo es el perro. Silencio entre ellos. Suena la trompeta de Chet Baker y los pies desnudos de Nina reposan sobre el brazo del sofá, al alcance de las manos de Blas.

BLAS decide no ser el perro por un minuto y coge las sandalias que Nina había abandonado durante el baile. Antes de ponérselas, le limpia la planta de los pies con la palma de la mano.

Dime que sigo siendo la reina de la playa.

BLAS

Sigues siendo la reina de la playa.

No es una repetición sin alma. Es casi un conjuro.
NINA mantiene el tono intranscendente.

NINA

Bésame los pies.

BLAS lo hace. Hay un instante de silencio. Eso que decían las abuelas y los autores rusos: "Ha pasado un ángel". NINA se oscurece de repente. La amargura de quien está convencida de que la desgracia no va a soltarla nunca. En cuanto abre la boca está claro que se rompe la línea del deseo.

NINA

Entonces, ¿os seguís viendo?

BLAS

¿Quién...?

NINA

La gente... Nuria.

BLAS

Hombre, trabajando aquí, en cuanto aparecen por la puerta.

NINA

¿Y con Gabi?

BLAS

Sí. Muy a menudo. Ahora le publican cosas en revistas.

NINA

Ya se llevará mejor con su madre.

BLAS

Eso no tiene remedio. En cuanto están dos días juntos ya andan de bronca. Gabi sale poco. Siguen en la finca. En la casa grande.

NINA

> Su madre está aquí. Pasé por la casa grande y los he visto desde la calle.

Ah, entonces era eso. BLAS descubre su calidad de peón en este juego. Descubre, por si no lo sabía, que solo es el perro y que ella ha jugado un rato para no preguntar de golpe. Que no le interesa su vida y que solo tiene algo que decir si es para ofrecer información sobre Gabi. Procura que su tono no cambie. Algo en su cabeza comienza a segregar una sustancia diferente, entre la sinceridad, el deseo y el resentimiento. La conversación se envuelve en algo sucio, como las mentiras mal disimuladas.

BLAS

> Sí. Llegaron hace poco.

NINA

> ¿Cómo están?

BLAS

> Bien. Están todos bien.

NINA

> No me acostumbro a llamarla Irene. Sigo diciendo "la madre de Gabi". Sigue con Pedro.

BLAS

> Sí. Eso parece.

NINA

> ¿Tú los has visto?

BLAS

> Sí. Estuve un rato. Pero bajé. Tenía faena.

NINA

> Claro.

NINA llena la copa. Más de lo que se suele. Bebe con decisión, sin vergüenza. El alcohol empieza a dejar que salga su desesperación, como el agua que desborda un estanque. Todavía, con dulzura.

> ¿Sabes de lo que me acuerdo yo? Lo que de verdad echo de menos... Cuando tenía quince o dieciséis, y me sentaba sola en la playa. Me gustaba bajar a la playa yo sola, en esta época, cuando no hay gente. Antes había menos. Solo

los pescadores. Me gustaba más cuando llovía. Era como si me quedase sola en el mundo. Me sentaba acurrucada en la duna y me quedaba mirando el mar. Estaba así dos o tres horas, o sea, cuatro veces la cinta de Forgive Me, de Brian Adams.

Canturrea.

Me la sabía de memoria.

BLAS trata de bromear, de recuperar algún gesto de hartazgo de aquellos años.

BLAS

Me acuerdo. Como para no acordarse.

NINA

Me gustaba estar sola con las olas y con mi walkman; las olas tenían que ser fuertes, por eso era mejor si llovía, para que entrasen en la canción. Me gustaba imaginar que quería a alguien tanto como para decírselo como me hacía sentirlo esa canción. A veces, las canciones nos hacen recordar emociones que no hemos vivido nunca. Lo leí en alguna parte.

BLAS

Esa canción es de las que piden lluvia.

NINA

Sí. No lo había pensado. Piden lluvia. Lluvia y arena fría y nubes. Era perfecta. Allí estaba yo, como esas llisas que nadan en la orilla y que parece que están pidiendo que las pesque alguien. Un día se sentó a mi lado Gabi y se puso a hablarme de cine y de teatro, y de las cosas que escribía. Y otro día me trajo un poema que había escrito para mí. Un poema extraño que hablaba de sueños. No recuerdo lo que decía. Solo recuerdo eso, "sueños oscuros". Y otro día empezamos a besarnos y a meternos mano. Nos metíamos mano como si tuviéramos prisa. Y luego vinieron muchas noches. Aprendimos a la vez. En la playa. Después llegó el mes de junio aquel. Aquellos tres días que me volvieron loca. La vida de la gente se puede ir a la mierda en tres días. Te vuelves otro. De pronto, Gabi me parecía un niño. Era como si hubiera vivido diez años de golpe y los demás siguieran igual. Eso fue lo que me pasó cuando conocí a Pedro.

BLAS no sabe si debe conocer aquella historia. A NINA
no le cabe duda de que la conoce. BLAS trata de cubrir el silencio.

BLAS

Al final no te he preparado el bocadillo.

NINA

Da igual. Podías acompañarme. Tú bebías ron.

Los dos repiten una vieja frase a coro: "Como los piratas".
Y sonríen. Parece que BLAS estuviera esperando el permiso.
Se levanta y va a la barra. NINA llena su copa y bebe.

BLAS

Vale. Un roncito.

NINA

Eres tan rico.

BLAS

¿Qué?

NINA

Haces como que no sabes de qué te hablo. Te hablo de cuando me fui.

BLAS

Hace diez años.

NINA

Hostia, es igual, el tiempo que hace es igual. Da lo mismo que si me hubiera ido ayer. El día que me fui tuve la sensación de que me había muerto. Según iba en el tren pensaba en nombres nuevos. Para ponerme uno. Para cambiar de nombre. Como si me hubiera muerto. Iba a ser otra. Iba a vivir una vida de la hostia.

BLAS

Te fuiste sin decir adiós a nadie.

NINA

Me olvidé de la gente. Solo pensé en mí.

BLAS

Gabi se quedó hecho polvo.

NINA

A veces se hacen las cosas sin mirar a ningún lado. Haces lo que haces y no te fijas en nada. Nadie se da cuenta del daño que puede llegar a hacer.

> *Silencio. NINA piensa en ella y en el daño que ha vivido.*
> *Luego, sus pensamientos vuelven a Gabi.*

Pero Gabi y yo hacía tiempo que no nos entendíamos. Nos gustábamos. Se entendían mejor nuestros cuerpos que nuestras cabezas, ya me entiendes. Pero yo no le entendía. Y eso me acababa poniendo nerviosa y le decía cosas para hacerle daño. Un día tuve la sensación de que había usado las mismas palabras y los mismos gestos que su madre. De que había imitado a su madre cuando se pone hija de puta y le quiere hacer daño. Sin darme cuenta, algo en mí buscó esa manera cruel de hacer daño. No sé por qué lo hice. Y no sé si él se dio cuenta.

BLAS

Fue la época de la función aquella que hicisteis en su casa.

NINA

Tenía que haberle dicho que no. Yo no entendía lo que escribía Gabi. Era todo fúnebre. Oscuro. Era como las algas que se pudren cerca de la orilla. Tenía algo de venenoso, como esas flores carnosas... No sé cómo se llaman.

BLAS

Ahora ya no escribe así. Ahora lo que escribe se parece a lo que escriben casi todos.

NINA

Yo creí que estaba enamorada de Gabi. Antes. Cosas de críos. Cuando el tiempo era de azúcar. "El tiempo de azúcar." No sé dónde he oído esa frase. El tiempo de azúcar.

BLAS

Es una película.

NINA

¿Sí?

BLAS

De hace poco.

Silencio. NINA bebe. Su modo de hablar empieza a ser turbio. Empieza a ser la maraña de casi todas las noches.

NINA

De azúcar. Joder. Cómo no iba a creerlo. Él me decía que me quería y me escribía poemas y yo tenía diecisiete años y sonaba Brian Adams.

Canturrea Please Forgive Me.

Además. Gabi era la libertad. Mi vida se dividía en dos mundos: el mundo de la libertad y el mundo de mi padre. ¿Te acuerdas del cerdo de mi padre? Yo tenía algo de dinero. Bueno, mi madre había dejado algo para mí. Para el ajuar, como hacen las madres. Mi madre es que parecía de otro siglo. Pero mi viejo se lo fundió. Mi viejo y la mujer de mi viejo, que quería que la llamase madre, la gilipollas. Es lo que pasa. Sujetas el agua y en cuanto quitas la mano sale a chorros. No me dejaba salir. Te acuerdas. A las nueve y media en casa. Yo aguantaba con vosotros hasta las nueve y veinte y entonces me iba, y al torcer la esquina del bar de Horacio echaba a correr como si me persiguieran. Aquel verano se fueron tres días. Fue justo después de cuando intentamos hacer aquella obra de teatro que había escrito Gabi. Aquélla tan rara. Pasé los tres días en la finca de Irene. Me volvía a casa a las tantas; una noche vino a verme Pedro. Venía con su caña. Decía que le pillaba de paso para ir a pescar. Nos pusimos a hablar. Y eso. Se está acabando la botella. Venga. No seas membrillo. Abre una. La dejamos al nivel que estaba ésta y así ni se nota.

BLAS

Me parece que has bebido bastante.

NINA

Bastante no es suficiente.

NINA se queda ante BLAS, con media sonrisa, como midiendo la brillantez de su frase.

Es buena, a que sí. La frase. Es cojonuda. Es de una obra de teatro. Yo trabajé en esa obra, con una compañía pequeña. Yo hice la Criada. Esas frases tan buenas siempre son de los protagonistas. "Bastante no es suficiente". Esa obra me abrió los ojos. Yo hacía un papel que podía hacer cualquiera. Había otros cuatro personajes en la obra, pero ésos necesitaban actores muy buenos. Necesitaban actores que de verdad supieran hacer su trabajo. Fue la primera vez que me di cuenta. Es como si estuvieras al pie de un monte y no tuvieras ni una mala cuerda para empezar a subirlo. Pues así estaba yo. Empezaba la obra, cada noche, y allí estaba lo que yo no llegaré a ser nunca.

BLAS

Eso no lo puedes decir. Tienes toda la vida por delante.

NINA mira a BLAS. En sus ojos hay una derrota triste, sin esperanza.

NINA

Venga, Blas. ¿Sigue abierto el bar de Horacio?

BLAS

No.

Mientras hablan, BLAS va a la barra, saca otra botella de brandy, la abre y sirve a NINA.

NINA

¿Qué es ahora?

BLAS

Una tienda multiprecio. Un bazar.

NINA

Me estoy haciendo vieja.

BLAS

Y mi abuelo.

NINA

Uno se hace viejo cuando cierran las tiendas donde compraba de pequeño. El quiosco. El pan. Esas cosas. Es una frase de una novela de Pedro. Algo así. Sus libros están llenos de frases como ésa. Cuando lo conocí le dije que tenía muchas frases subrayadas, muchas frases de sus libros, subrayadas, para recordarlas; me contestó que a las chicas les gustan mucho, y se rió. Es su manera de defenderse. Se esconde detrás de lo que escribe y luego habla de ello como si fuera una tontería. Dice que es un hombre insignificante que se protege de la vida escribiendo historias. El día que comprendí que lo decía en serio empecé a mirarlo de verdad, y empecé a no poder vivir si no estaba a su lado. A su vera. Era lo que me decía al principio, cuando creyó que me quería. "Tú aquí, a la verita mía". Luego vino ella. Irene. La madre de Gabi. La hija de puta. Y se lo llevó. No sé cómo lo hizo. Él se fue detrás como si fuera un esclavo, como si no pudiera hacer otra cosa. A revolcarse. Qué asco, dios.

NINA bebe. BLAS la mira. NINA ha decidido dejarse llevar. Empieza a costarle retomar el hilo de lo que dice. El tono de BLAS comienza a ser más frío. Es el tono de alguien que sabe hablar con borrachos. Que sabe que hay un momento en el que no vale la pena lo que se les diga, que se puede hablar con ellos como si se hablara solo. Hay un silencio. NINA ya no distingue muy bien entre lo que ha dicho y lo que ha pensado.
A estas alturas, no es extraño que se repita.

¿Sigue abierto el bar de Horacio?

BLAS

No.

NINA

¿Qué es ahora?

BLAS

Un bazar.

NINA

Tengo la sensación de que todo lo que yo conocía ya no está en su sitio. Todo está en el sitio que no es. Echo de menos los años de antes.

BLAS

Los años de antes.

NINA

Antes de que empezasen a pasar cosas. Bueno. Eso está mal dicho. Las cosas no empezaron a pasar. Pasaron casi de golpe. Aquel verano. Aquel verano me arruinó la vida. Un día pasan las cosas y te arruinan la vida.

BLAS

Aquel verano fue el momento en que empezaste a hacer lo que tú querías hacer. Tú eres la única que ha elegido la vida que quería.

NINA

¿Yo quería hacer lo que he hecho? ¿Tú sabes lo que he hecho con mi vida? ¿No tienes hielo? Ahora se toma con hielo. Lo anuncia alguien, no me acuerdo. El brandy con hielo. Hay que llegar al estrellato con el hígado hecho leña.

Bebe como si fuera agua, bebe como si tuviera sed de varios días.
Se percata de la mirada de BLAS.

A que lo hago bien. Hay que ensayar mucho para beber así. ¿Quieres que te cuente lo que ha sido mi vida, lo que ha sido la vida que yo quería? Joder. Una pesadilla. La pesadilla de un loco. Me cago en mi vida, Blas. Me cago en mi vida.

Silencio. NINA cierra sus ojos. NINA abre su boca, para seguir hablando; pero su boca se abre más, un poco más, hasta llegar a una mueca de llanto sin consuelo. Un llanto sin voz, que golpea todas las partes de su cuerpo.

BLAS se acerca, se sienta en el brazo del sofá, junto a ella. Acaricia su cabe-
za. Se atreve a besar su pelo. NINA no parece percibir nada.)

BLAS

Yo creía...

NINA

Vete a la mierda, Blas. Tú no creías nada. Tú no tienes ni
idea, a ti te daba lo mismo que si me hubiera muerto. Yo
ya no vivía en este puto pueblo, así que yo no existía. Lo
que vaya más allá de la carretera es otro mundo.

Brinda.

Por Shangrilá.

Bebe.

¿Sabes lo que he vivido? Te voy a contar lo que he vivido.

Se dispone a hacerlo. Sinceramente, se dispone a hacerlo. Pero cuando mira
los últimos años, como buscando un punto por el que empezar su relato, se
asusta. Sufre. Se da cuenta del abismo que tiene enfrente. Silencio. Se sienta
y mira a la puerta. Su voz ha regresado a la calma. Demasiada calma.

Perdona. Hablo de todo esto con odio, pero no es odio de
verdad. Muchas veces he pensado en volver. En intentar
volver. Borrarlo todo y volver. Si se pudiera. Volver y bajar hasta el paseo. Mirar el mar sin prisa. Volver a las tardes de los domingos. Al rato ese en que no pasa nada. Ese
ratito en que parece que se ha parado todo. Después de
una tarde de domingo a lo mejor podría dormir. ¿Sabes
que se me ha olvidado? En serio. Se me ha olvidado dormir. Quiero decir, una noche entera. No soporto la cama.
Duermo un rato, sentada. Lo justo para llegar hasta las
pesadillas. Con eso tengo suficiente. No. No es verdad.
No tengo suficiente. Pero las cosas son así. Hace tiempo...
Después de lo del niño, estuve yendo un año al psiquia-
tra. Era mundial. Te daba unas pastillitas y todo te importaba tres cojones. Pero las dejé de tomar. Echaba de menos
mis pesadillas. Qué palabra más tonta. "Pesadillas". Lo
malo no son las pesadillas. Lo malo es no poder dormirte.
Cuando te vas a dormir y tienes la sensación de que te ha

rozado algo. Estás a punto de dormirte pero no te duermes y entonces todo se deforma. Te levantas y te mueves como si estuvieras en un sueño. No sabes lo que ves ni entiendes lo que pasa, y todo lo que piensas está como distorsionado, pero todo va en un mismo camino. Todo lo que piensas son cosas que van a hacerte daño. Es el infierno. Y la única manera de salir un ratito de ese infierno, aunque sea para meterse en otro, vale, pero por lo menos es otro infierno, no es ése, es otro, pues el mejor camino es el orfidal mezclado con brandy, mucho brandy.

Se pone en pie, como para brindar.

¡Brandy, mucho brandy! Había una película que se llamaba así, o una obra de teatro. Bésame. Por favor.

BLAS besa la boca de NINA. NINA sonríe, desde los ojos llenos de cristales de su borrachera. Deja su copa en la mano de BLAS, le da la espalda. Está de pie. Frente a sus ojos, la puerta. Le cuesta mantener el equilibrio. Pasa el tiempo.

Ahora podría ir a la playa.

Camina con paso indeciso hacia la puerta. La abre. La lluvia moja su cara. Se agarra a los bordes de la puerta, como si fuese a saltar de un avión. BLAS corre hacia ella. La abraza.

BLAS

No.

NINA se vuelve. Se miran a los ojos.

No.

Se besan, se buscan. Tratan de que sus cuerpos los salven de la muerte.

Han pasado unas horas. Podría seguir sonando Chet Baker. Hay canciones de Chet Baker que parece que hubieran nacido para explicar que las horas pasan a veces sin que nosotros lo deseemos. Por ejemplo, If You Could See Me Now, o Ballad Medley, que tocó con Stan Getz. La puerta se abre y entra ESTEBAN con aparejos de pesca y una bolsa de plástico llena de algo. No hace ruido ni enciende la luz. No lo necesita. Se mueve por ese lugar desde hace quince años. Ha dejado la puerta abierta y por ella se derrama una luz de ámbar, esa luz de los primeros minutos de amanecer en los lugares cercanos a la costa. ESTEBAN se topa con los cuerpos desnudos y abrazados de BLAS y NINA. El dibujo de sus piernas y brazos está cubierto por un sueño espeso, profundo. Se podría pensar que están muertos. ESTEBAN sale despacio, se acerca a la puerta. Enciende la luz y entra en dirección al mostrador. Allí queda unos instantes trasteando, de espaldas a BLAS y NINA.

Está tratando de darles tiempo. Vuelve a salir y se va, dejando la puerta abierta. Podemos verlo fuera, de espaldas, mirando cómo sale el Sol, fumando. BLAS se despierta. Despierta a NINA. Le hace señas. NINA coge su ropa y se va por la escalera. BLAS se viste apresuradamente y se tumba en el sillón, como si durmiera. ESTEBAN parece intuir que ya ha dado tiempo suficiente para que el campo esté preparado. Lo que ha durado un par de cigarrillos. Entra de nuevo. Se dirige a la cocina. Comienza a cortar fiambre para prepararse un bocadillo. BLAS finge despertarse y se acerca a la barra.

BLAS

No te pensarás comer todo eso.

ESTEBAN

¿Dónde andabas?

BLAS

Ahí. Me quedé dormido.

> *ESTEBAN mira la botella de brandy.*

ESTEBAN

No me extraña.

> *BLAS todavía no está preparado para hablar de lo que ha pasado. Se dedica a recoger los vasos y a ordenar los cedés.*

BLAS

Has venido muy pronto.

ESTEBAN

No se puede pescar. Está la Guardia Civil.

BLAS

Qué ha pasado.

ESTEBAN

Dos zapatos.

BLAS

Trasteando, no oye bien.

¿Qué?

ESTEBAN

¿No te lo enseñaron? Pues cualquier chaval lo sabe. Si hay dos zapatos, a casa.

BLAS

Ah... Ya; un muerto. No te había oído lo de los zapatos. Es raro que se ahogue gente en la playa en esta época. ¿Lo han encontrado ya?

ESTEBAN

No.

BLAS

¿Y se sabe quién es?

ESTEBAN

No. Son zapatillas de esas que parecen botas de fútbol de antes. De esas que usáis los jóvenes.

BLAS

Gracias por lo de joven, pero ya he pasado a la reserva. Acuérdate que soy un respetable padre de familia.

ESTEBAN

Está bien que te acuerdes.

Pausa.

¿Qué tal la Nina? ¿La has convencido de algo?

BLAS

No sé. Está muy perdida.

ESTEBAN

Ya.

BLAS

He conseguido mucho.

ESTEBAN

El qué.

BLAS calla. Espera a que ESTEBAN lo mire.
Ya han calentado, es hora de jugar.

BLAS

Que no haya dos pares. De zapatos. Está muy mal. Estuvimos hablando. Bebió y se le pasó por la cabeza ir a la playa, ya sabes. No me hubiera extrañado que se hubiera metido a nadar, y adiós.

ESTEBAN

Le has salvado la vida. Suena importante.

BLAS

Qué te pasa.

ESTEBAN

Que eres un inútil, Blas. Que ibas a convencerla de que se quedase para que se pudiera arreglar lo tuyo con María y lo que has hecho es follártela, y me juego lo que quieras a que se te ha pasado por la cabeza marcharte con ella.

Silencio. BLAS descubre sus propios deseos. Aún no había tenido tiempo de pensar en ello. Le irrita ser así de transparente.

BLAS

No.

ESTEBAN

No. Lo que yo te diga. Lo que pasa es que eres tan cagón que ni te has atrevido a decirle que si te deja que la acompañes.

BLAS

Bueno, ya vale.

ESTEBAN

No, no vale, Blas. No vale. Fíjate lo que es tu vida. Si esa muchacha baja y te dice que te vayas con ella, te vas. Y si te dice que adiós, te quedas. No tienes nada que decir. Como toda tu puta vida. A estas alturas, me vas a decir que no sabes por qué se casó María contigo.

BLAS

¿Por qué me haces esto?

ESTEBAN

Porque no te aguanto más, chaval. Porque no es que hayas arruinado tu vida. Has arruinado la tuya y la de tu mujer, y no quiero pensar en el crío porque te arranco la cabeza de una hostia. María se casó contigo para poner una pared a lo que no era capaz de dejar. Porque no tenía fuerza para frenarse y esperaba que tú la obligases, gilipollas. Ésa sí que no se ha tirado al mar de milagro. Cualquier día. Mira que se equivocó. Si no te hubiera tenido a ti para hacer contigo lo que le hubiera dado la gana, María se habría marchado a tomar por el culo de este pueblo, y habría tenido otra oportunidad. Tú has sido la correa con la que se ha atado el cuello, es lo único que has sido. Si es la perra de Gabi es por tu puta existencia.

BLAS

¿Y a ti qué te va en eso? No es tu hija.

ESTEBAN se queda en silencio. Un silencio espeso, nuevo para BLAS.
ESTEBAN piensa cosas que nunca antes había pensado. Busca el tabaco
entre sus bolsillos. No habla hasta que el humo acompaña sus palabras.
Parece como si el humo no quisiera separarse de su boca.

ESTEBAN

No. No es mi hija. Mi hija hace su vida, ha tenido suerte. Pero a María la he visto crecer en mi casa. Como a todos vosotros, pero a María más, porque su madre se la quitaba de encima en cuanto podía. Y ahí estaba, en la puerta. "¿Está la Nuri?" La mitad de las tardes merendaba en mi casa. Y me acuerdo de la luz que tenía. Cómo se reía y se pasaba la tarde inventándose cosas con mi hija. Las dos, ahí, a la puerta de mi casa, haciendo meriendas con arena y agua y las tazas viejas de la cocina. Esa cría tocaba el cielo con las manos. Era todo juegos y alegría. Ni puta idea tenía de lo que pasaba en su casa. Hasta que le dio por ir vestida de negro, como si fuera al entierro de la sardina...

En los ojos de ESTEBAN hay una risa dulce de recuerdos,
que se va llenando de amargor a cada palabra.

Yo le gastaba bromas con lo de ir de luto, que hubo una época que se pintaba de negro hasta las uñas. Hasta que empezó a no entrar en casa, a no saludar. Y luego se casó contigo. Y entonces empezó a no tenerse respeto. Por tu culpa.

BLAS

Si me voy, ya tiene quien la cuide.

ESTEBAN

Si te vas los dejas tirados; a ella y al crío.

BLAS

Ya lo cuidarías tú. Ya que no te dejan ver a los tuyos.

ESTEBAN

Míralo. La mosca muerta. No sabía que me tenías tanto odio.

BLAS

No te odio, Esteban, pero llevas toda la vida tratándome como a un imbécil. No querrás que te bese.

ESTEBAN

El culo me vas a besar. Gilipollas. Cada uno tiene su vida. Y la vida de cada uno tiene complicaciones. Y yo tengo las mías. Y la única alegría que tengo es cuando me voy a pescar con tu hijo. Fíjate lo fácil que te sería matarme. Con no dejarme ver al chaval. Con no dejarme que me meta en tu vida. Me meto en tu vida porque necesito que haya orden. Que las cosas estén bien. Para no volverme loco, joder. Para no volverme loco. Para pensar que la próxima vez va a salir bien. Que hay alguna cosa que podía haber hecho para ayudar y no lo hice, pero que a la próxima se va a arreglar todo.

BLAS

No te entiendo.

ESTEBAN

Es igual. No importa. Mira, te voy a decir una cosa: lo que hagas está bien. Si te vas, está bien; si te quedas, está bien. Pero que sea porque tú lo decides. Tú vida va a empezar en cuanto que decidas algo. Si te quedas porque tú decides, a lo mejor le coges gusto y empiezas a decidir cosas, y ayudas a tu mujer. Y si te vas, no puede estar peor que ahora. Pero te digo otra cosa. Ésta, la Nina, si te vas con ella no le vas a hacer ningún favor.

BLAS

Me voy a duchar.

ESTEBAN

¿Y si baja?

BLAS

Si baja, que me espere.

NINA está bajando los últimos escalones. BLAS se topa con ella. Hay un segundo de confusión. NINA lleva una bolsa deportiva grande en la mano y una bolsa de traje al hombro.

Espérame. Voy a ducharme.

BLAS sale corriendo escaleras arriba.

NINA, ya en el salón, deja las bolsas sobre el sofá y enciende un cigarrillo. No sabe lo que ha pasado, pero no está dispuesta a que nadie la mire desde arriba. Camina con cuidado, como si hubiera cristales en el suelo. ESTEBAN se ocupa de adecentar el lugar; por fin se queda frente a NINA, sonríe con media cara y habla en el mismo tono acogedor que utilizó por la noche.

ESTEBAN

Ya me he acordado de qué me sonaba tu cara. En cuanto me lo ha dicho Blas. Tú eres Nina.

NINA

Sí.

ESTEBAN

Espera.

ESTEBAN va al cajón en el que metió el álbum. Lo saca de nuevo,
busca la página y se la enseña.

Aquí es cuando terminasteis en la escuela. Tú no te acordarás de mí. Soy el padre de Nuria.

NINA se queda mirando la foto.

Parece que ha pasado un siglo. Erais unas criajas y fíjate ahora, qué mujeres. Mira, aquí está cuando la boda. Y aquí con el nieto. Pues son... Nada, quince años. Un poco más, porque la foto es del fin de curso.

NINA

¿Sigue aquí?

ESTEBAN

¿Nuria? No. Es una hija desnaturalizada, no viene más que a colocarme al nieto. Es broma. La verdad es que viene poco, por el trabajo; trabajan los dos.

NINA

El niño se parece a ella; es igual que Nuria cuando éramos pequeñas.

ESTEBAN

Una fiera. Cada vez que viene me revoluciona la vida. Y eso que estoy entrenado, con el de Blas. A Blas seguro que lo conocías. Mi compañero.

NINA

Claro. Éramos amigos.

ESTEBAN

Claro. Si vosotros debíais de ser pandilla. Entonces te acordarás también de María, de su mujer.

NINA

Sí.

ESTEBAN

¿Te preparó algo?

NINA

¿Qué?

ESTEBAN ha vuelto a la barra. Se siente cómodo si hace cosas,
si tiene cosas a mano.

ESTEBAN

De cena. La plancha no la usó. O si la usó le ha dado un aire. Para que limpie la plancha después de haberla usado tiene que estar enfermo.

NINA

No. No me apetecía.

ESTEBAN

Te haré un sándwich. No te vas a ir en ayunas.

NINA

¿A qué hora pasa el siguiente?

ESTEBAN

No te preocupes. Te da tiempo para el de las ocho. Mientras, se ducha Blas y le da tiempo a despedirse. A lo mejor te puede acompañar. Yo, de todas formas, me voy a poner dentro de nada a preparar desayunos, que la gente se empieza a levantar ya mismo. Hoy tengo el día completo. Primero cocino, y esta tarde tengo que arreglar el grifo del baño de aquí abajo. Con ser el del bar lo tenemos roto cada dos días. Yo hay veces que pienso que lo hacen aposta. En su casa tendrán grifos igual, ¿sí o no? ¿Te hago café? Tú tienes pinta de infusiones.

NINA sonríe. ESTEBAN prepara una infusión.

Un té.

NINA

Gracias. Mejor café.

ESTEBAN

Un carajillo.

A NINA le apetece. Pero le molesta la oferta. Calla.

¿Qué coges, el de Madrid?

NINA

No sé. Sí. No sé. Pasaré por Madrid y luego veré. No tengo planes.

ESTEBAN

Hay que hacer planes. No puedes parar ahora. Ya estás en el camino. Tú eras la que estaba en cosas de televisión.

NINA

Sí. Aunque tampoco me ha ido demasiado bien. Es difícil. Hay mucha gente. A lo mejor me convenía parar un poco. Esto está buenísimo.

ESTEBAN

Hiciste bien en marcharte. Esto está muerto. Bueno, ya sabes, en verano y todo eso. Pero eso está bien para los que ya nos hemos conformado. Para mí, que tengo más años que la campana. Para Blas. Al fin y al cabo, un hijo lo ata a uno para toda la vida. Y no lo digo con pena. Una familia es algo bueno, si se quiere tener. Cada uno ha nacido para lo suyo. Lo tuyo es volar, reina. Desde chica se te veía.

Sonriente.

Hay gente que nace para pájaro y gente que nacemos para piedra.

NINA

También se puede cambiar. Un día encuentras algo que te sujete al suelo. O estás harto y pruebas a volar un ratito.

ESTEBAN se nubla.

ESTEBAN

Eso lo dices porque cuando uno está lejos del pueblo se acuerda solo de lo bueno. Seguro que te has acordado de esto un millón de veces

ESTEBAN pone la bolsa de plástico que trajo con los aparejos de pesca sobre el mostrador. Mete la mano en la bolsa y saca un par de membrillos.).

Los he cogido según venía. Tenemos una huerta pequeña aquí al lado. Igual te acuerdas. Bajabais a jugar cuando erais crías.

Vuelca el contenido de la bolsa sobre la mesa. Son cinco o seis membrillos.

Mi mujer los usa para meterlos entre la ropa blanca. A veces os hacía carne de membrillo; seguro que ya no te acordabas.

NINA coge uno de los membrillos. Lo acerca a la boca. Huele su aroma, el sol dulce que contiene el membrillo parece bañar la piel de Nina. Saca de ella una sonrisa, un gesto de paz.

Espera. Llévate dos o tres.

ESTEBAN pone una bolsa de plástico sobre el mostrador, junto a la mano de NINA. La mano de ESTEBAN queda cerca. Tal vez coge la de la muchacha.

Para el camino.

Se miran a los ojos.

NINA

He vuelto después de un montón de años, y aquí es como si se hubieran parado todos los relojes.

ESTEBAN

Esa es la sensación que se tiene. Pero cambian cosas cada día. Lo que pasa es que si vienes un rato, parece que no ha pasado el tiempo. Aquí se siguen haciendo dibujos con flores para la Virgen en primavera, se sigue viviendo todo el verano en blanco, como buenos esclavos de los veraneantes, y se sigue pasando el otoño y el invierno en duermevela, atendiendo a los alemanes y los jubilados, como esos animales que se quedan medio dormidos para pasar el invierno sin gastar energías.

NINA

En hibernación. Sí. Es como lo recuerdo. No es una solución tan mala. Estoy muy cansada. Tengo ganas de quedarme, de dejarme llevar. Pero me parece que ya no puedo hacerlo aquí.

ESTEBAN

Nadie sabe bien dónde está su sitio. ¿Se va Blas contigo?

NINA

No. No lo sé.

ESTEBAN

A lo mejor es bueno que se vaya. Si quiere irse. Yo no lo sé.

NINA

A lo mejor no soy una buena compañía. Me han pasado muchas cosas.

ESTEBAN

Bueno. A todo el mundo le pasan cosas. A las cosas que pasan lo único que se puede hacer es echarles más cosas encima.

NINA

Y eso cómo se hace.

ESTEBAN

Sigue respirando. No hay otra manera. Y pierde un rato poniéndote un membrillo cerca de la nariz, por lo menos, de vez en cuando.

*Baja BLAS, ESTEBAN enmudece. BLAS acaba de recoger cedés.
ESTEBAN sale de la barra.*

Bueno, yo voy a dejar los trastos en casa y a cambiarme, que dentro de nada me toca cocinar.

*Ha quedado frente a NINA. Le da dos besos.
Pellizca su cara como si fuera una niña.*

Que tengas suerte, reina.

ESTEBAN pasa junto a BLAS como si ya anduviera por la calle. Le gustaría decirle algo, pero le ha quedado un dolor seco en las manos; es mejor callar y dejar que pasen los días. BLAS se refugia en los cedés.

NINA

El trompetista, ¿está vivo?

BLAS

Quién.

NINA

El que nos gusta a ti y a mí.

BLAS

Chet Baker. No. Cuando tenía sesenta años se cayó por una ventana. O se tiró. O lo tiraron. Tuvo una vida difícil.

NINA

Igual era el precio.

BLAS

¿Por qué?

NINA

Por el regalo de poder hacer esa música. No se puede tener todo. Es un consuelo que me busco a veces. Puede ser que esté pagando un precio y que de todo esto salga algo que valga la pena. Algo destilado, como un perfume. No sé.

Largo silencio. Es hora de decir algunas cosas.

BLAS

Vengo aquí muchas noches y pongo discos. Vengo aquí porque no soporto estar en casa solo. Oyendo respirar a mi hijo. Esperando a que vuelva María. A veces pasa varias noches sin volver. Pero es peor cuando vuelve y yo me hago el dormido mientras la oigo llorar en el baño.

NINA

Los he visto esta noche. Desde el jardín. La vida detrás de los cristales parece agradable. La vida de la gente detrás de los cristales. Por la noche. Me gusta mirar a las ventanas de las casas, por la noche. La gente haciendo la cena, o cogiendo un libro, o encendiendo la tele. Me gustan las casas con lámparas de pie. Como las de antes. Me da la sensación de refugio. De sitio donde la gente está a salvo. Estaban jugando a la lotería. Todos alrededor de la mesa grande. Menos Gabi. María estaba como apagada. Como si le hubiera caído encima una capa de ceniza. Los demás estaban igual. Me dio por pensar que los demás le estaban chupando la sangre a María. Que se iba a pasar la vida allí, jugando a la lotería con los cartoncitos manoseados. Es el juego más imbécil que conozco.

BLAS

Pasan muchas tardes así. Es una costumbre.

NINA

A mí me parece una condena.

BLAS

A mí me gustaba cuando éramos pequeños y se hacía en el casino.

NINA

En Navidad. Pero aquello sí era divertido. Nos hacían regalos. Y los números tenían nombre: El "galán". El uno era el "galán".

BLAS

El dos era el "Sol".

NINA

¿Y el tres?

BLAS

La "chiqueta".

NINA

El cuatro era la "espina".

BLAS

No. El cuatro era la "cama". El cinco era la "espina".

NINA

Es verdad. El seis, el "corazón"; el siete la "Luna"; el ocho, la "danza". El nueve. El nueve era el "arpa". A mí me gustaban el siete y el dos. El "Sol" y la "Luna". Los números los decía una señora muy mayor. Le costaba coger la bola con los dedos. No podía abrir la mano del todo, por la artrosis. Era una fiesta. ¿Era en Navidad?

BLAS

Sí. Esto es otra cosa. Es que necesitan saber que los demás están a mano aunque no tengan nada que decirse. Están en rey ahogado.

NINA no entiende.

Es un final de partida en ajedrez. No hay posibilidad de seguir jugando y nadie gana.

NINA

Es como estamos nosotros también. Tú y yo. Se puede empezar otra, pero no se puede volver a jugar esa partida. No sé si me entiendes. Tiene también que ver con el ajedrez. Bueno. Tiene que ver con todos los juegos. Si sueltas la ficha, ya la has movido. El juego es eso, más o menos. El juego es que al final eres lo que has hecho y lo que no has hecho. Eres las tardes en la playa y las hostias que te daba tu padre. Al final eres los besos que no has dado.

Silencio. No saben si mirarse.

¿Vas a venir conmigo?

BLAS

¿Te vas?

NINA

Sí.

BLAS

Yo no me puedo ir. No. No es que no pueda. No quiero irme. Lo que yo quiero está aquí. Sigue estando aquí. Lo único que tengo que hacer es encontrar una manera de desatar el nudo.

NINA

Eres buena gente.

BLAS

La opinión general es que soy gilipollas.

NINA

Eso no es verdad.

BLAS

Sí. No importa. Además, para ti no solo soy gilipollas. Además soy un paleto, con mis dejes de pueblo y mis frases de paleto. "De categoría", qué raros somos, ¿verdad? Qué exóticos.

NINA siente esa herida de forma especial. Ella no quería hacer daño.

Perdona. He discutido con Esteban y ahora lo pago contigo. Me parece que he perdido a Esteban. Soy inoportuno hasta para joder a la gente. Jodo a la gente cuando más la necesito.

NINA

Yo no quería hacerte daño.

BLAS

No es culpa tuya. Es que no lo parece, pero tengo muy mala sangre. Aquí se te espesa. Le pasa a todo el mundo. ¿Qué has tomado?

NINA

Un café.

BLAS

Espera.

Pasa tras la barra. Prepara con pericia una bebida y sirve una copa para NINA y otra para él. Mientras la prepara, recita la fórmula.

Zumo de tomate, sal, pimienta, salsa de tabasco y salsa inglesa. En las proporciones adecuadas.

NINA bebe.

Recuerda que soy de ciencias. Ahora soy un buen barman de ciencias.

NINA

Recuerdo que te gustaba dar clases.

BLAS

Pero lo pagaban peor que esto. Y además tampoco iba a ninguna parte. Nunca he ido a ninguna parte. Dejé el colegio porque empezó a haber menos niños y despidieron al que menos tiempo llevaba y menos compromiso les hacía. Ni siquiera me despidieron. Como me hacían los contratos de septiembre a junio no tuvieron ni que despedirme. Me dijeron que no volviera en septiembre, y ya está. Lo mismo el año que viene me llaman. Están llegando más niños, por los inmigrantes. Todo es así. Yo no lo decido. Me dejo llevar. ¿Sabes que hay una película que me quiero acordar del título y no hay manera?

NINA

Eso es imposible.

BLAS

En serio. Para ser el Libro se me están descuajaringando las hojas. Justo de una que me gustaría acordarme, no hay manera. Era un musical de los años treinta, un musical americano. Quiero acordarme porque hay una escena que me da vueltas desde hace años. Es un chico que entra en un bar con su novia, hecho polvo. No recuerdo qué es lo que le ha pasado pero está hecho polvo. Se echa sobre la mesa y dice "Soy un fracasado", y entonces se acerca el camarero y le contesta, "Muchacho, para ser un fracasado hay que conseguir fracasar en algo".

Los dos sonríen. NINA levanta la copa de sangrita,
como para hacer un brindis.

NINA

Vamos a luchar a muerte para conseguir un fracaso de puta madre.

BLAS

Brindo por eso.

NINA mira su equipaje. BLAS enciende un cigarrillo, se da cuenta de la descortesía y le ofrece a ella. Es ese minuto embarazoso, cuando las cosas se terminan.

NINA

Lo que nos espera no va a ser fácil.

BLAS

No tiene por qué ser más difícil que hasta aquí.

NINA

Seguro que no.

BLAS

Al final, no me has contado qué pasó cuando te fuiste.

NINA

Anoche no tenía fuerzas para tanto.

Silencio. NINA sabe que debe dejar su piel antes de salir a la calle.

¿He cambiado mucho?

BLAS

Has adelgazado. Parece como si tuvieras los ojos más grandes.

NINA

Con una falsa despreocupación, como si contase algo banal y divertido.

A ver... Yo era la reina del baile... Yo iba a ser la hostia. Y ese verano conocí a Pedro y me creí las cosas que me dijo la gente, que yo era la reina y que todo iba a ser de colores. Salí de aquí detrás de Pedro, que no me quería en realidad, que era el tipo que vivía con la madre de Gabi, pero yo me había creído no sé qué, ¿vale? Me metí en una pensión, donde ese hombre me visitaba cuando le venía bien. Me follaba y se iba. Ah, sí: He trabajado en teatro y en televisión, he salido en una peli. He hecho mal un trabajo que me parecía mágico y sagrado. Ahora salgo y hago mi papel, y a la gente no le parece mal, pero yo sé que no es eso. He perdido a Pedro... Bueno, no la dejó nunca. Venía a verme cuando Irene estaba fuera, o un ratito, ya te digo. Pero siempre estuvo con ella. He perdido un niño que iba a tener. Un niño suyo. También he perdido mi vida, en medio de todo esto. Lo único que me queda es volver a intentar hacer bien las cosas.

*BLAS queda mirándola, como si hubiera estado conduciendo un
camión lleno de nitroglicerina. NINA sale de su propio relato
como de un baño en el mar. Como si el día comenzase.*

No me mires así. Ni que hubieras visto un muerto. Va a
ser que me he pasado adelgazando. Perdona. Te ha tocado
a ti. Seguramente necesitaba dejar aquí todo esto. Decirlo
para que no se venga otra vez detrás de mí.

Sonríen. Si fueran capaces, se abrazarían. Es tarde. No se puede.

Yo también tengo una película que me da vueltas, y me
acuerdo del título, no como otros. No le hice caso al ciego.

BLAS

¿Qué ciego?

NINA

El ciego de Cinema Paradiso. Seguro que te acuerdas de
Cinema Paradiso. Lloraste.

BLAS

¿Que yo lloré? Llorasteis vosotras, las tres, a coro. Con la
historia del muchachito y la novia. A moco tendido.

NINA

Tú lloraste al final. Te vi, con la secuencia de los besos
cortados.

BLAS

Era una secuencia tramposa. El ciego era Philippe Noiret.
¿En qué no le hiciste caso?

NINA

Cuando el chico se va del pueblo va a despedirse de él, y
el viejo le dice una cosa. ¿No lo recuerdas? El viejo le dice:
"No vuelvas nunca". Necesito que alguien me lo diga.
Hazme ese favor.

Silencio interminable.

Por favor.

Silencio. Dolor.

BLAS

No vuelvas nunca.

Silencio.

NINA

Gracias.

Se miran a los ojos. Un instante. Les separa apenas medio metro. La distancia incierta de un abrazo. NINA besa largamente la boca de BLAS. Se va.

BLAS se queda quieto mirando la puerta. Como un marino que acabase de pisar tierra. Como si la rotación de la Tierra se hubiera detenido.

La noche ha terminado.

A este día le seguirán otros, aunque ahora parezca imposible.

Vale

Mayo de 2006.

CUATRO PIEZAS BREVES

JOSÉ RAMÓN FERNÁNDEZ

CUATRO PIEZAS BREVES

EL SILENCIO DE LAS ESTACIONES

Sala de espera de una estación de ferrocarril. Inhóspita. Un reloj en algu-
na parte. Madrugada. Nadie. Puerta y ventanas con cristales empañados.
Algún cristal roto.

Fuera, llueve a Dios dar agua.

Se oye llegar un tren. Se detiene. Al poco entra MARÍA. Es una mujer de
unos treinta años, que cuida su aspecto con la elegancia humilde que queda
al alcance de su poco dinero. Ha podido alcanzar la sala sin mojarse dema-
siado. Un mozo carga con su maleta en silencio y la deja en un rincón. Ella
sacude su paraguas y lo deja cuidadosamente junto a su maleta. El mozo
se ha marchado. Se oyen golpes fuera, de metal contra metal. Debe de haber
gente trabajando, no lejos de la sala. También se oye la marcha del tren.

MARÍA, sola.

Ha vuelto a su ciudad. Pasan cosas por su cabeza y en sus ojos se dibujan
palabras confundidas. Regreso. Derrota. Se sienta en un banco. Llora. O ríe.

Entra IRENE, empapada y furiosa. Es una mujer muy joven, casi
una muchacha. Viste de un modo parecido al de MARÍA. Su ropa
es más nueva y menos personal. Lucha con su paraguas sin percatar-
se de la presencia de MARÍA. El mozo entra con dos grandes maletas
y las deja junto a IRENE. Sale.

MARÍA

No es posible.

IRENE se vuelve y encuentra a MARÍA. Pausa.
Entra el mozo con dos maletas más.

IRENE

¿Qué haces aquí?

MARÍA

He vuelto a casa.

IRENE

Dijiste que nunca volverías.

Entra el mozo con un baúl. IRENE le da unas monedas. Se va. Las dos mujeres se miran. Los ojos de IRENE guardan un reproche casi infantil. Los ojos de MARÍA están pidiendo piedad a gritos.

IRENE

¿También llueve en Santiago?

Pasa un tren. No para.

Pausa.

Se acercan. Se abrazan.

MARÍA

Tienes el pelo empapado.

IRENE

Espera.

Se vuelve a sus maletas. Abre una y empieza a sacar cosas, despreocupada. MARÍA se agacha y las va recogiendo con cuidado.

¿Dónde estarán las toallas?

MARÍA

En el baúl, en la parte izquierda, abajo.

Habla con expresión perpleja. No conoce el origen de sus propias palabras.

IRENE abre el baúl. Busca. Encuentra la toalla. Se miran en silencio.

IRENE

Anda, sécame.

MARÍA

¿Quién ha doblado esta toalla?

IRENE

Jesusa se murió este verano. Llevo tres meses con padre. Hemos vivido solos tres meses. No he visto a nadie en ese tiempo.

MARÍA no parece escuchar. Mira la toalla como si mirase dentro de un pozo. Sus ojos abismados repasan el borde del encaje mientras desdobla la toalla. Seca el pelo de IRENE.

MARÍA

Te has cortado el pelo.

IRENE

Me lo corté yo, me hice un desastre. Cuando fui a la peluquera me dijo que la gente que se hace eso es porque no se quiere nada. Por eso lo tengo así. ¿Cómo se lleva ahora?

MARÍA

¿Ahora?

IRENE

Sí. Tú también te lo has cortado.

MARÍA

Por comodidad.

IRENE

¿Se lleva así en Santiago?

MARÍA

No he estado en Santiago. No llegué a Santiago. He vivido en Santa María.

Se acerca a la ventana.

IRENE

¿En Santa María? ¿Te fuiste de aquí para vivir en Santa María?

MARÍA

Me fui de aquí para no estar sola con mi padre. Cuando Jesusa se murió nos quedamos solos. Vivimos solos tres meses. Cogí el primer tren. Me fui para no matar a mi padre.

IRENE

Santa María es una ciudad horrible. Todas las casas son iguales, nuevas y sucias. Es como vivir en un sanatorio.

MARÍA

¿Qué hacen todos esos hombres? ¿Tienen que hacerlo ahora, con esta lluvia?

IRENE

Me quieres engañar. Venga, cuéntame cosas de Santiago.

MARÍA

¿Adónde piensas ir con todo eso?

IRENE

¿De verdad te quedaste en Santa María?

MARÍA

Me quedé donde él estaba. Donde podía verle pasar de su casa a su trabajo.

IRENE

¿El capitán?

MARÍA

Me quedé donde mi padre nunca pudiera imaginarme. Para no vivir más.

IRENE

Dobla la toalla.

Para olvidar mi nombre.

Pausa. Se oyen los golpes de la brega. Pasa un tren despacio, pero tampoco para.

MARÍA

Cuando se tiene que tomar la felicidad a ratos, una empieza a embrutecerse. Todo es vulgar, pero ya no lo notas.

IRENE intenta meter las cosas en la maleta. No quiere oír lo que ha dicho MARÍA. La mención de lo vulgar le irrita profundamente. Las cosas no caben ahora en la maleta. Se enfurece. Lo tira todo. Salen cajas, zapatos, fotografías, libros, cosas.

IRENE

Tengo veinte años y no sé hacer una maleta.

MARÍA

No te puedes ir. No hay nada fuera.

IRENE

La culpa es del libro.

MARÍA

¿Qué?

IRENE

No debes volver a casa. Pero si vuelves, busca en el primer cajón del escritorio. Encontrarás un libro igual que este.

Saca un libro de su bolso y lo deja en el suelo. MARÍA lo recoge. Es un libro pequeño, encuadernado en piel oscura.

Ábrelo y encuentra subrayados los mejores paseos de Santiago. La culpa es del libro. Es el veneno que ha matado a tu padre.

IRENE queda arrodillada; sus manos juegan con un perno y sus ojos observan una culpa ancha y lejana. Tiembla. MARÍA deja el libro en el suelo. Abraza a IRENE.

IRENE

Tengo miedo.

MARÍA

¿Miedo?

IRENE

Miedo de ir. ¿Por qué tengo que ir?

Pausa.

Tengo que ir por tu culpa. Eres la parte de mí que no será feliz en ningún sitio.

MARÍA

No te irás. Quítatelo de la cabeza.

IRENE

¿Qué me importa Santiago? ?Por qué tengo que ir a Santiago? Yo nací aquí. Pude vivir tranquila entre esta gente.

MARÍA se levanta y empieza a recoger las cosas que ha tirado Irene; primero con alguna energía, luego lentamente, dejándose ganar por la evocación de cada objeto.

MARÍA

Santiago es una ciudad odiosa.

IRENE

Mientes.

*MARÍA vuelve a la ventana. Además de los obreros,
se oye a veces el bramido de un motor.*

MARÍA

Santiago es como esas vías de ahí fuera. Lluvia y ruido. No puedo imaginar Santiago más que de noche. Llena de trabajadores pisando los charcos y la nieve sucia.

IRENE

No es verdad. Santiago es una ciudad limpia y ancha.

El ruido de fuera va en aumento.

MARÍA

¿Ancha?

IRENE

"De calles anchas y llanas, con tenderetes de libros en las aceras y plátanos de paseo y acacias y terrazas. Una ciudad sin muralla."

El ruido de fuera obliga a levantar la voz.

MARÍA

Una ciudad llena de gente con abrigos de colores oscuros y de olor negro, de olor a hierro quemado.

IRENE

"Con un río maravilloso, el río de los poetas de Europa"

MARÍA

Claro, el río: "Junto al río/mi corazón/mis manos/y mi memoria"

IRENE

Furiosa.

Por ejemplo.

*El ruido de fuera se detiene de pronto. Se oye tan solo
la salida de vapor de algún mecanismo hidráulico.*

MARÍA

Mentiras.

IRENE

Recoge el libro del suelo.

¿Ya no te acuerdas de esto?

MARÍA

No.

IRENE

¿No te acuerdas de aquel día? ¿De cuando entró padre en casa, con el capitán? ¿Cuantos años cumplías?

MARÍA

Quince. Un vestido. De Santiago.

IRENE

Padre traía un libro. Te lo enseñó antes de guardarlo en el escritorio. Tú se lo quitabas por las noches y lo leías. Leías las mismas páginas que él leía cada tarde. Nunca supo abrir un libro; los destrozaba, los abría como si fuera a partir pan.

Pausa.

IRENE

No puedes volver. Aquí ya no queda nada.

MARÍA

No era yo. Era Madre.

IRENE

Eras tú.

Pausa.

Padre se quedó solo. Ya no veía nada. Se sentaba en el jardín a escuchar el aire.

Silencio. Solo se oye la lluvia, menos insistente. MARÍA mira hacia fuera, como si esperase algo. IRENE se acerca a su espalda.

IRENE

Te gustaba planchar en las horas de más calor. Cuando todo el mundo reposaba. Solo se oía la respiración del verano. Las avispas en el jardín. Planchabas despacio, como pensando en otra cosa. A él le gustaba mirar tu espalda cuando planchabas. Era muy recta y las gotas de sudor caían como por un camino aprendido.

MARÍA se da la vuelta y dice algo a IRENE que no podemos oír, porque lo cubre el largo silbido de un tren que llega.

Pausa.

El tren se detiene. Las dos mujeres se miran.

IRENE

Ese tren es el mío.

Otro largo silbido del tren y OSCURO.

Madrid, 1995

DOS

Una empresa de transportes. Una pequeña empresa en la que la oficina administrativa se encuentra en el mismo edificio que los talleres y las cocheras. Estamos en el taller de chapa. Una tarde histórica: el día 19 de abril de 1956, se celebra en Madrid la primera semifinal de la primera Copa de Europa de fútbol, que enfrenta al Real Madrid y al Milán; uno de los grandes partidos de la época de Di Stefano. En un rincón del taller, un obrero repara una parte de un camión. Un pequeño transistor deja escapar canciones, anuncios, comentarios sobre el partido, arañazos del aire. Un joven con uniforme de botones llega para lavarse antes de ir a partido. Las palabras de los dos hombres hablan de fútbol y de cine. Las miradas hablan de desesperación y de ternura. Viven en un país y en un tiempo sucios y secos, donde la ternura puede ser, como afirma Marx acerca de la vergüenza, un sentimiento revolucionario.

Espacio vacío. En la pared, un grifo, una palangana y un pequeño espejo. Bidones y neumáticos amontonados. De vez en cuando se oyen pasos apresurados, un taconeo nervioso, en algún pasillo lateral.

BRUNO golpea la chapa con un martillo grande. Sujeta la chapa con el pie al suelo, y el otro extremo con la mano izquierda, mientras golpea con la derecha. Es el guardabarros de un camión, un modelo algo anticuado, de los años treinta. Bruno es fuerte y duro. Viste un mono, solo como pantalón: la parte superior la lleva enrollada a la cintura. LUIS, un botones, con su traje y su casquete, entra fumando. Mantiene el cigarrillo entre los labios y las manos en los bolsillos mientras mira a BRUNO. Se acerca.

LUIS

Como te vea el señor Llanes te va a dar la bronca.

BRUNO

No me ve nadie.

Se oye el taconeo.Los dos miran hacia el lugar de donde proviene.

LUIS

Este año ha llegado muy pronto el verano.

BRUNO

Sobre todo aquí abajo. Pero ese hombre se cree que estamos en Bilbao.

LUIS

A mí me lo vas a decir. Este traje es de lana.

BRUNO

El corte es bueno.

LUIS

Es estupendo.

Se acerca.

Lo voy a usar para la calle.

BRUNO

Con sorna.

¿Y el casquete también?

LUIS

No seas gilipollas.

Mientras hablan, BRUNO golpea de vez en cuando, sobre una superficie que le sirve de yunque.

Me descoso los galones y ni se nota. Lo malo es que me los tengo que volver a coser al llegar a casa.

BRUNO

Deja de golpear la chapa.

Oye.

Se encara con LUIS.

Tú no le vas a ir al señor Llanes con el cuento. Es que sudo mucho y así de vez en cuando me echo agua por encima. Aquí en la chapa lo hacemos casi todos. Si nos tenemos que estar con el mono abrochado hasta arriba nos morimos.

LUIS

Tranquilo, hombre, si lo comprendo.

BRUNO

Como a ti parece que no te molesta el traje...

LUIS

Hombre, sí me molesta, pero es que para salir por ahí…
¿Qué, que no farda?

BRUNO

Sí, eso sí.

Vuelve a su faena.

¿Y le vas a tener que descoser los galones todos los días?

LUIS

Solo cuando quiera salir luciendo. Hoy es que me voy al
partido. El señor Llanes me ha dado un pase.

BRUNO

¿A qué partido?

LUIS

Concho. ¿Tú de qué planeta eres?

*BRUNO para de golpear la chapa y mira a Luis, que mientras
    habla se quita la americana, la corbata y la camisa.*

¿No te has dado cuenta de que te has quedado solo? Hoy
han dado permiso para salir antes. ¿No te lo ha dicho nadie? Y a los nueve que somos en la oficina nos han dado
pases para ir, menos a González, que ya se la había comprado, y se lo han dado a uno de los mecánicos.

BRUNO

¿Sabes sufrir?

LUIS

¿Qué?

BRUNO

Que si sabes sufrir.

Señala con un ademán la chapa.

Ahora que vas sin camisa...

LUIS

Os he visto hacerlo.

BRUNO

Coge de ahí.

LUIS sujeta la chapa con las dos manos y BRUNO golpea con fuerza. Trabajan en silencio. BRUNO para en algún momento para respirar. Se miran.

Espera, cambia. Por aquí.

Vuelve a golpear. Golpea en silencio. LUIS sufre los golpes. BRUNO para. Se miran. Bruno suelta el martillo.

Ya vale.

LUIS deja la chapa con cuidado en el suelo.

LUIS

¿Ya está?

BRUNO

No. Todavía le queda ese borde, y luego lijar y pintar. Me queda un rato largo. ¿Y de qué es ese partido?

LUIS

¡Pero hombre! Si no se habla de otra cosa. La Copa de Europa, chaval. El Real Madrid contra el Milán. No va a poder jugar Molowny, pero vamos a ganar igual. El que gane será el primer campeón de Europa. ¿Es que a ti no te gusta el fútbol?

BRUNO

No lo sé. Nunca he ido a ver un partido. Y oírlo por la radio me pone muy nervioso.

LUIS

Pues yo tengo entrada de tribuna. Hoy voy a estar a menos de cien metros del caudillo.

BRUNO

Vaya.

LUIS

Busca.

Oye, ¿dónde está el jabón?

BRUNO

Detrás de la pila. Pero no lo vayas pregonando.

LUIS

No, hombre. Esto se queda entre nosotros. Oye, pero tú jugarías al fútbol de pequeño, ¿no?

BRUNO

Tu eres de aquí, de Madrid, ¿verdad?

LUIS

Sí. De pura cepa.

BRUNO

Mientras BRUNO habla, LUIS se lava a conciencia.

Es que yo soy de un pueblín de montaña. No sabes las que tuve que aguantar aquí cuando me dijeron que no había escrito bien la dirección. 'Chaval, que no has puesto la calle'. Yo le contesto 'es que en mi pueblo no tenemos calles'. Todavía dura la guasa. Pues eso, que en mi pueblo éramos solo tres rapaces. Allí no se jugaba al fútbol. Bueno, un par de veces vi jugar un partido, entre ocho que se juntaban, dos pastores del pueblo y seis del maquis. Pero me pareció que era una tontería. Te has dejado jabón en el hombro.

LUIS

Gracias. Oye, ¿Quieres un truja? Tengo en el bolsillo de la americana.

BRUNO

Hombre, se agradece.

Coge uno.

¿Tú quieres?

LUIS

Sí, cógeme uno.

Se lo da. Encienden los cigarrillos. Fuman en silencio. Se miran.

BRUNO

Joder. Cherterfield. El que anuncia Ronald Reagan.

LUIS

¿Quién?

BRUNO

Un actor. ¿Tú no vas al cine?

LUIS

Mucho. Todos los sábados, con los amigos.

BRUNO

Yo también.

Bruno va solo.

LUIS

Es verdad que sudas muchísimo.

BRUNO

Ya ves. ¿Tú a cuáles vas?

Entra otro MECÁNICO. Se produce una situación extraña. Se podría pensar que está prohibido fumar en los talleres. El MECÁNICO es oscuro y afilado. Un tipo sin ninguna esperanza. Habla entre dientes, sin mirar a los hombres. No le importan.

MECÁNICO

Qué hay.

LUIS

Aquí.

MECÁNICO

¿No hay jabón?

Los muchachos no contestan.

Ah, míralo. Lo dejan ahí debajo y luego no hay quien lo encuentre.

Se lava las manos minuciosamente.

LUIS

Pues yo voy a los cines del barrio, al Olimpia, al....

Silencio. El MECÁNICO se sigue lavando las manos.

BRUNO

Yo voy a los de Jose Antonio, y a los de Fuencarral. Hay menos jaleo. Y da gusto la limpieza.

MECÁNICO

Secándose.

Vaya suerte tenéis los de la oficina.

LUIS

¿Qué?

MECÁNICO

Entradas gratis. Claro que no es lo mismo ver el partido por cuenta de uno que con el jefe al lado.

LUIS

Claro.

MECÁNICO

Pues lo dicho. Hasta mañana, Bruno.

BRUNO

Adiós.

Silencio.

LUIS

Los cines del barrio son más divertidos. A veces dan unos fines de fiesta que se puede uno morir de risa. Las chicas que quieren ser estrellas de la copla y todo eso.

BRUNO

Estás hecho un golfo.

LUIS

Lo que estoy hecho...

Tira el cigarrillo, lo aplasta.

Es una costurera. Voy al lío.

BRUNO

Pronto tiras tú el cigarro.

LUIS

Es que se me echa el tiempo encima.

Se pone la camisa.

BRUNO

¿Y de pesca has ido alguna vez?

LUIS

¿De pesca?

BRUNO

Sí, a los ríos, a pescar truchas.

LUIS

Nunca en mi vida. El pescado me da asco.

BRUNO

Ah, ya. Pues eso. Yo todo lo que he visto de fútbol fueron aquellos partidos de los maquis, que bajaban al pueblo de vez en cuando...

LUIS

Deberías tener cuidado.

BRUNO

Hombre... creí que estábamos en confianza. Además, hace más de diez años.

LUIS

Pues dicen que todavía quedan.

BRUNO

No me extraña. Quiero decir que en aquellos montes se puede uno quedar a vivir todo el tiempo que quiera. Si te respetan los lobos hay comida de sobra.

LUIS

Insisto: Ten cuidado.

BRUNO

Perdona, no quería molestarte.

LUIS

No se trata de que me molestes a mí. No puedes ir por ahí hablando del maquis como quien habla del tiempo. Te lo digo por eso. Y encima, con lo del fútbol te estás significando. Deberías enterarte un poco. Por lo menos para decir cuatro bobadas, como casi todos. Aquí, de todo el taller solo vamos al fútbol tres, y uno es del Atleti, así que no cuenta. Tú con decir lo que dicen los demás y lo que oigas en la radio ya te vale. Yo lo digo por tu bien.

BRUNO

Si ya sé que me miran como a un tío raro, pero es que me notan muy de campo y eso parece que les hace gracia. A lo mejor si nos trasladan voy a estar más a gusto. Sí, ya sabes, eso que dicen de que se van a llevar los talleres al campo, a Villaverde o por ahí.

LUIS

No se van a llevar los talleres. Harán otros allí. Es que le van a vender una parte de los talleres a una empresa italiana, o algo así, y ellos tienen más camiones y más grandes.

BRUNO

Y serán mejores. Como son italianos…

LUIS

No son italianos. Los jefes son italianos, pero los camiones y el personal son de aquí. Lo que sí creo que van a traer es maquinaria nueva. Lo mismo tienen que echar gente para que quepan los de la otra empresa.

BRUNO

Vaya. Oye, a lo mejor tú me podías contar cosas de lo del fútbol.

LUIS

Si quieres...

BRUNO

Te das buena maña con los galones.

LUIS

A la fuerza ahorcan. Ya está.

Mira el reloj.

Voy bien. Mira, podías haber aprovechado para ir al cine. Hoy seguro que están todos vacíos. A lo mejor todavía te da tiempo.

BRUNO

De todas formas tenía que acabar con eso. Es el guardabarros de una Ebro, un trasto que tiene ya lo menos quince años. Es que tiene que salir mañana por la mañana para Santander. Será un milagro si pasa el puerto del Escudo. Además, para ir al cine puedo ir cualquier día.

LUIS

Un día tenemos que ir juntos.

BRUNO

Cuando quieras.

LUIS

¿Tendrás por ahí un poco de grasa?

BRUNO

¿Grasa? Ah, claro, sí.

Le alcanza un tarro. LUIS se desabrocha varios botones de la camisa y se mete el cuello hacia dentro; coge un poco de grasa con dos dedos, se frota con ello las palmas de las manos y se las pasa por el pelo en lo que casi se diría que es un ritual. Se peina con mucho cuidado frente al pequeño espejo.

Podríamos ir al Lope de Vega. Están poniendo "Vacaciones en Roma". Trabajan Gregory Peck y Audrey Hemprun. Así me podrías contar lo del fútbol y todo eso.

Mientras BRUNO habla, LUIS ha acabado de peinarse, se ha lavado las manos, se ha abotonado la camisa y se ha puesto la corbata.

LUIS

¿Qué tal?

BRUNO

Superior.

LUIS

Falta el toque maestro.

Se despeina un mechón, que cae sobre su frente.

Como Molowny.

Bruno tiene cara de nada.

Luis Molowny.

De nada.

El Mangas.

De nada.

El capricho de las nenas.

BRUNO se divierte con su propia ignorancia.

Un jugador del Real Madrid.

Sonríen.

Como me preguntes qué es el Real Madrid te parto la cara.

LUIS se pone la chaqueta.

¿Bien?

BRUNO

El nudo lo tienes torcido.

Se lo ajusta. LUIS coge la mano de BRUNO.
LUIS besa la palma de la mano de BRUNO.

Silencio.

BRUNO

¿Cuanto dura un partido de fútbol?

LUIS

Puedo estar de vuelta dentro de tres horas. El estadio queda bastante lejos.

BRUNO

Me quedaré un rato por aquí.

Suena una canción en la radio, las primeras notas, Se vive solamente una vez, la voz de Antonio Machín. Los hombres se miran a los ojos. Lentamente se pierde la luz.

FIN

Madrid, 1996

JOSÉ RAMÓN FERNÁNDEZ

SI AMANECE NOS VAMOS

El animal
que llevo dentro
no me ha dejado nunca ser feliz
(F. Battiato)

ADELA

Estoy a dos pasos, así que me puedes poner otra cerveza. Gracias, cariño. Seguro que Martita no tiene de nada, seguro que no hay una cerveza en toda la casa, y sé que en cuanto entre voy a tener sed. Se me va a empastar la boca como si se me hubiera llenado de harina de repente, porque me va a mirar con ese desprecio que tiene en los ojos y que es peor que todos los insultos. Un insulto sincero. Eso es. Un insulto sincero. No te dice que eres una mierda. Cree positivamente que eres una mierda. Eso es. Pero tengo que ir. No tiene a nadie. No es que yo sea nadie para ella. Yo nunca he sido nada importante en su vida, lo que pasa es que ahora no tiene nada más. La historia de Martita es una historia complicada. Alcánzame un cenicero, por favor. Yo no pinto casi nada, hago una colaboración especial, como dicen en las películas. Gracias, cielo. Estoy de visita en esta historia, no sé si comprendes, cariño. Claro que es importante para mí. Es muy importante para mí, mucho. Es lo más importante del mundo. Es lo que me ata a la vida. Me pongo estupenda, perdona, suena fuerte, pero es la verdad. Sí, pídeme otra. Lo he descubierto mirando la casa. Al llegar, he dejado el coche a unos doscientos metros de la casa, en la parte alta, donde la curva que deja ver el mar y las nubes, esa curva es un alivio después de tanta piedra y tanta piedra. Me he sentado en el suelo, en el terraplén, que estaba húmedo todavía, y me he quedado mirando la casa, y he sabido que esa casa y lo que tiene dentro es lo único que me queda en este mundo, ya sé que es poco, no te rías, no seas cabrón, no es para reírse, te cuento lo que me pasa y tú me miras y te ríes. Anda, dame fuego y cállate o vete y déjame en paz. Está bien. Vale. Lo único que me queda. Así son las cosas, y si esa puerta no se abre para mí más vale que se abra la tierra en su lugar, que se abra la tierra bajo mis pies y que me entierren bien hondo, porque ni siquiera bajo la tierra iba a poder callarme y dejar de llorar. Porque Marta fue mi niña y yo fui su criada, y luego me equivoqué porque quise ser su madre, ya ves, su madre en tres o cuatro visitas al hospital, qué tontería. Casi no pisó la casa, el piso donde vivíamos su padre y yo. Lo pasó mal en aquel sitio. Y luego su padre y yo viajamos a otro país. Y luego me hice vieja, y luego su padre me dejó y yo no tenía dónde caerme muerta y volví aquí y no pasé ni dos días en el pueblo porque tenía la sensación de que la gente se reía de mí. Sabía que Martita se había casado y era feliz, bueno, que estaba bien, y sabía que todavía tenía la casa de sus padres pero que no había vuelto nunca desde que la cerró su padre, ni siquiera la había querido usar para los veranos, o alquilarla. La casa era el sitio donde guardaba la memoria de su madre. Es normal que haya querido escaparse de los pésames y de la angustia y se haya escondido en la casa. En estos años yo le escribí algunas veces. Le escribí tres cartas. A ella, a Martita. No había ninguna excusa para ir a visitarla. Tú no necesitarás excusas, pero yo sí, mi vida, yo para esas cosas no sé hacerlo de cualquier manera, no me parece bien. No, no me pongas nada más, dime qué te debo. Las navidades. No, a eso te tienen que invitar, no puedes aparecer porque sí. Además, en esa época seguro que no estaban en la casa. Aquí no se queda nadie en Navidades. Que paséis buena noche. Claro, lo poco que queda. Adiós.

Casi me he alegrado de lo del muchacho. Que Dios me perdone. Me alegré al rato, después de tomarme un vaso de whisky para relajarme. Me llené el vaso hasta el borde, como les veía hacer a Martita y a su hermano, y al cabo de un rato me relajé y pensé que ésta era la ocasión para ver a Marta. Me bebí otro vaso y salí carretera adelante. Y aquí estoy. Me alegra tanto pensar que voy a cruzar esa puerta y voy a ver a Martita que se me olvida la pena por ese pobre muchacho que se acaba de matar, pobre criatura. Creo que voy despeinada. Me acerco y veo la sala grande por la ventana. Virgen de mi alma. Los años que viví en esta casa. Quiero decir los veranos, y luego cuando me casé con tu padre. Nunca me tocó tu padre antes. No miraba a nadie. Se moría de tristeza y no había nada más que tu madre en el mundo. Eso era la biblia. Tenía muchos defectos, los tiene, ahora más, por viejo, pero no sabía mirar más que a tu madre. Cuando no miraba a tu madre miraba al vacío, a un punto delante de él, a media altura, como si estuviera viendo un saco de basura o un perro muerto. Desazón. Eso era lo que tenía en los ojos, desazón y tristeza. La primera vez que tu padre me miró a los ojos fue el día que nos encontramos a la puerta del hospital, el primer día que fui a visitarte. Lo encontré fuera. Era un día húmedo, con nubes muy cargadas, y tu padre estaba en la acera de enfrente del hospital, apoyado en una acacia, mirando la cuestecita de arena que subía hacia la entrada del hospital. Luego supe que pasaba por allí todos los días, aunque no entraba a verte casi nunca. Tu padre se echaba la culpa de lo de tu madre, como si alguien pudiera tener la culpa de eso. Las cosas no tienen culpa, las cosas pasan y no hay nada que hacer con ellas, quiero decir que si tu marido no llevaba el cinturón no es una cosa como para pensar en culpas de nadie ni en historias parecidas. El muchacho se adormiló y se salió de la autopista. Eso le pasa a la gente. Tu padre hacía igual, se quedaba mudo mirando al frente como si estuviera viendo un perro muerto o algo así, y yo sé que pensaba en tu madre y en ti y en el loco de tu hermano, que a saber por dónde anda. Se me está acabando el tabaco. No. Hay otro paquete en el bolso. Seguro que nos va a hacer falta tabaco para pasar la noche. No sé por qué te estoy hablando de tu padre como si estuviera muerto. Es que estoy viendo la sala vacía a través de la ventana, es que llevo un siglo aquí, de pie, en medio de la noche, en este porche de madera que me gustaba tanto, mirando la sala que está también a oscuras, y he pensado que os veía muchas tardes a los cuatro allí y me pareció que pensaba en fantasmas. Y ahora te veo bajar la escalera. No sé por qué no enciendes la luz. Puede ser que te hayas despertado ahora. Tienes en la mejilla la marca de una sábana. Buscas. Encuentras una botella de whisky. Siempre hay whisky en esta casa. Siempre hay un vaso y una botella en cualquier parte. Te tiemblan las manos. Te cuesta llenar el vaso. Ya estás otra vez como antes. Manchas la mesa. Te sientas. Miras el vaso. Lo vas a coger. No. Acercas tu boca y sorbes el whisky sin levantar el vaso de la mesa. Hija de mi alma.

MARTA

Hoy he dormido más de tres horas seguidas. Hoy es un día de los buenos. Ha sido un día de los buenos. Adela. Esa sombra que está en la puerta y que no se atreve a entrar es Adela. Tiene el mismo aspecto que una bolsa de la lavandería. Gastada y sin forma. Como si la ley de la gravedad tuviera un contrato especial con ella. Como si su cuerpo tuviera que estar más atraído por la tierra que los demás. Tengo sed. Tengo que terminarme pronto esta botella. Este vaso sabe a polvo. Y sigue ahí. En la puerta. No le voy a decir que entre. Que se joda. Que lo pida. Que pida entrar. La hija de puta no se da cuenta de lo que hace. Se planta en la puerta como si fuera una aparición. Sabe de toda la vida lo de mis pesadillas. Pero es tan estúpida que no puede ser una aparición. Cuando se muera será un geranio, o una hortaliza de esas que comen los animales. Esa mujer no puede tener un espíritu dentro. ¿Qué haces aquí? No me mires de esa manera, no soy un cromo. ¿Qué pasa? ¿Tienes sed? No, tú no bebías de esto. Tú bebías cerveza. Las criadas beben cerveza. O a lo mejor te acostumbraste. A mi padre no le gustaba el olor de la cerveza A lo mejor fue él el que se acostumbró. Si se acostumbró a ti se pudo acostumbrar a la cerveza. Como me digas que vienes a darme el pésame rompo la botella y te la clavo en la cara. No te he dicho que entres. Es igual. Estás en tu casa. Al final fue tu casa, por lo menos un par de años. Esta botella ya ha hecho su servicio ¿Qué hora es? No, están fundidas. Todas las bombillas de la casa están fundidas. En realidad eran cinco. Cinco bombillas en toda la casa. El cabrón de mi padre tenía una bombilla en cada cuarto. La lámpara del salón tenía seis casquillos vacíos. Es una rata, el viejo. Ni luz ni leña. ¿Sabes dónde está? No. Qué vas a saber. Da igual. Si no da señales de vida está igual de muerto que los muertos. Igual de muerto que los muertos. Eso es. La televisión me sirve para iluminar esto. Para no quedarme a oscuras. Hoy hay luna nueva, están borradas todas las sombras de este mundo, no hay contornos. Uso la televisión como lámpara. No sé por qué le llaman nieve a eso. Eso no se parece a la nieve. Es como un virus furioso que se estuviese comiendo a sí mismo. No soporto el ruido que hace. Necesito la luz pero no soporto el ruido. No te voy a preguntar a qué has venido. Si quieres estar ahí, con cara de imbécil, mirando como bebo, a mí no me importa. Allá tú. Seguro que no tienes nada mejor que hacer aparte de estar aquí y de morirte. Porque supongo que no te has muerto. Esta hostia que te voy a dar es para tocarte, para comprobar que estás viva y no eres un fantasma. Tienes la carne tan blanda que pareces un fantasma, o algo peor. Esa piel, esa carne fofa de los mofletes, tiene el mismo tacto asqueroso que las telarañas o que los flanes de caramelo. No llores, hostia. Bebe algo. De la botella. No tengo ganas de buscar un vaso. Este sabe a barro y pasará lo mismo con todos los demás. Ahí está bien. Así tengo a dónde mirar, aparte de esa cosa furiosa de la televisión, y así se van pasando las horas. En la televisión había un monstruo simpático. A algún gilipollas se le ocurrió dibujar un monstruo simpático para mandar a los niños a la cama. Yo tenía tres años y ese bicho era lo más horrible del mundo. Debía de tener dos o tres años. Salía ese animal y yo me iba corriendo al pasillo y metía la cabeza entre las piernas. Luego, no quería quedarme a oscuras en la habitación. Ahora es el lema de mi vida. Se apagan las luces, se encienden los sueños. Se apagan las luces y empieza el horror. Y no sé si cerrar los ojos o si dejarlos abiertos y empiezo a notar que la habitación totalmente a oscuras se va enfriando poco a poco y empiezo a sentir que hay alguien más en la habitación y que alguien me toca el pelo. Y pasan las horas y tengo ganas de mear pero no me atrevo a ir al baño porque tengo que andar por el pasillo a oscuras y luego en el baño me espera el espejo.

Una manera de no volverme loca puede ser hablar con esta imbécil.

ADELA

¿Estás bien, cariño?

MARTA

¿Cómo te enteraste de lo del accidente?

ADELA

Me llamó una mujer. Te llamó a ti. Debías de tener el teléfono de casa en algún carné. Te llamó desde el hospital.

MARTA

A mí me llamó un encargado. No tenían por qué llamarme a tu casa.

ADELA

No hables así.

MARTA

Cómo.

ADELA

No sé, pero dices eso de mi casa como si fuera un sitio para despreciar. Es la casa donde ha vivido tu padre cinco años. Puede que él guardara nuestro teléfono en su agenda, puede que conservase la misma agenda de entonces.

Hace cuatro años solo. Tú vivías en casa cuando empezasteis a salir.

MARTA

No. Yo vivía en el hospital. A lo mejor ya no te acuerdas, pero hace cuatro años yo vivía en el hospital. Te tienes que acordar porque tú ibas a veces. Te veía desde mi habitación. Hablabas con una enfermera y le dabas paquetes. Nunca pasabas del patio.

ADELA

No sé por qué tienes que decir así las cosas. Hablas siempre como si quisieras hacer daño. Seguramente una enfermera llamó al número que tenía en la agenda y otra llamó al otro número. Yo no tenía ese otro número, por eso no te he llamado.

MARTA

A mí me llamó un hombre. El móvil estaba apuntado en la maleta. No tenían por qué haberte llamado.

ADELA

Puede que no cogieras el móvil, puede que no estuviera conectado o le pasasen esas cosas que tienen esos aparatos, y entonces una enfermera encontró el teléfono de casa en esa agenda. Una enfermera con buena intención.

MARTA

Está bien eso. Las buenas intenciones. Mi padre decía no sé qué de las buenas intenciones. A veces le llegaba un libreto, comenzaba a leerlo y al cabo de un rato lo tiraba al suelo, como si fuera la ceniza de su cigarrillo. Wishfull Thinking, eso era lo que decía. Buenas intenciones. El infierno está sembrado, eso lo decía mamá. Pero el demonio que pasea por esta casa está tan aburrido que no se ha molestado en confirmármelo. Tú eres un saco de buenas intenciones, por eso se fue mi padre. Te dejó caer como si fueras la ceniza de su cigarrillo.

ADELA

Te has vuelto mala.

MARTA

Será la edad. O será que no puedo dormir, que desde que soñé con el demonio no soy capaz de cerrar los ojos estando a oscuras. No sé. Por si me lo encuentro. En el sueño había luz. Estábamos ahí, en el cuarto de estar. Mi padre, mi hermano y yo. Tú no estabas, lo siento. Habíamos cenado. Mamá estaba en su habitación. Entró alguien. Vestía ropa oscura. Era una persona idéntica a mí. Más delgada. Me miró. Me sonreía. Alguien dijo "es el demonio". No recuerdo más. Pero ahora es uno más de mis miedos, como el de quedarme a oscuras y notar que alguien me toca el pelo, o el de mirar al espejo y ver que la que está en el espejo me sonríe, o ver a otra persona detrás de mí en el espejo. O no reconocer los ojos que me miran, que soy yo pero hay alguien más dentro de mí. Todo eso se va con la luz del día. También se va si tomo seis pastillas como esta, pero esto último tiene la pega de no saber si voy a despertarme. Bueno, a veces no sé si eso es una pega ¿es una pega? Se llama orfidal y me la ha dado el médico, una buena persona, no te hace creer que le interesas, hace su trabajo. Me tengo que tomar una de estas otras todos los días, y si tengo problemas para dormir, el médico dice que tengo que tomar media de estas, pero solo si es necesario porque causan adicción. Es bueno conocer la causa de las cosas. En vez de media, me tomo seis. El único peligro es no despertarse. Pero la mayoría de las noches tengo más miedo a la oscuridad que a no despertarme. Y a lo que de verdad tengo miedo es a despertarme y que esté todo a oscuras. Eso sí es malo.

ADELA

¿Y si me quedo contigo?

MARTA

¿Para siempre?

ADELA

Mujer.

MARTA

Es que esto a lo mejor es para siempre. ¿Y si una noche no estás y me mato?

ADELA

No digas eso.

MARTA

Puede ser. ¿Sigues bebiendo cerveza?

ADELA

Sí. Como cuando vivía con tu padre. La misma marca.

MARTA

No muy fría. En vasos grandes. De la cuarta manera. Nunca en la botella. Hasta que te quedabas dormida. Lo he intentado. Dos litros de cerveza y a sobar. Pero no puedo. Me dan arcadas, no me duermo, vomito y parece que el estómago me diera puñetazos desde dentro.

ADELA

¿Hay algo de cerveza en la casa, cariño?

MARTA

No lo sé. ¿Dónde la guardabas?

ADELA

La casa estaba llena de cerveza. Era lo único que no se podía acabar, por tu hermano. Botellas de cerveza y aquel cesto de esparto lleno de cajetillas de tabaco. Y cargas de tinta para la pluma. Luego no escribía nunca nada y se le acababan secando. Cerveza y cigarrillos. Con no olvidarse de eso la casa podía seguir funcionando.

MARTA

No fueron tan malos tiempos. A veces nos reíamos. Entonces también se bebía whisky. Tardaba más tiempo en darme las arcadas, más tiempo que con la cerveza. Cuando llevaba tres vasos de whisky me reía de las historias que contaba mi padre y de las payasadas que hacía mi hermano a todas horas. Entonces todavía vivía mi madre. No sé si te acuerdas.

ADELA

Claro. Claro que me acuerdo y ella me lo dice para hacerme daño. No es que me odie, para odiarme me tenía que estar viendo y mira de una manera que da la sensación de no estar viendo nada y es que para ella soy menos que el barro que tengo en los zapatos y que no me he podido quitar porque ya no hay ni felpudo. Porque esta casa es una casa fantasma y da lo mismo el barro porque el barro lo va a llenar todo cualquier día de estos. Claro que me acuerdo de tu madre, yo quería a la señora y siempre procuré ayudarla a estar lo mejor posible. Lo hice incluso cuando tú no estabas para quererla tanto porque te mandaron a un hospital barato para poder ahorrar para los médicos de tu madre.

MARTA

Para poder ahorrar porque mi padre era un miserable. Me refiero al tipo que te dejó tirada, de ese seguro que te acuerdas mejor. Porque de mamá no te acuerdas.

ADELA

Me acuerdo de su mierda y de sus vómitos y del olor del amoniaco para los suelos.

MARTA

Te acuerdas del trabajo pero no te acuerdas de la pena, porque solo puedes recordar a una mujer enferma, un cuerpo asqueroso, es normal, no puede ser de otra manera. Lo que puedes recordar son los últimos años y en los últimos años estaba tan parecida a una muerta que mi cabeza no necesita esforzarse para fabricar pesadillas. Qué palabra más gilipollas, pesadillas. Suena a plato regional con miel o cabello de ángel. Lo más importante que me pasa en mi vida son mis pesadillas. Malos sueños. Mal sueño. Sueño del mono loco. Sueño oscuro. Mamá en el pasillo. No tengo más que cerrar los ojos y ahí está mamá, así de fácil es un mal sueño, un sueño de loco. Mamá en camisón, mamá descalza en camisón con su camisón blanco descalza con su camisón blanco y los brazos negros de tanto pinchazo y descalza con los brazos negros y los ojos de agua. Mamá querida. No necesito dormir para soñar con ella. Mírala, está a tu lado.

ADELA

Ay. Ay qué susto. No te rías, no te rías y no mientes a los muertos y menos a oscuras y menos aquí. Tu pobre madre no puede ser un alma en pena con todo lo que tuvo que pasar tu pobre madre. Lo que merece es dormir para siempre y descansar y no tener más dolores ni más nada. Tú es que no tienes respeto a las cosas.

MARTA

La verdad es que no. ¿Qué es eso?

ADELA

¿Qué?

MARTA

Esa luz.

ADELA

El alba.

MARTA

Entonces hemos llegado. Hemos sido capaces. ¿Me das un cigarrillo?

ADELA

Toma. Pero ya sabes.

MARTA

Sí. Ya sé. Qué asco, dios. Siempre has fumado el peor tabaco que hubiera. Te has arreglado siempre para fumar la marca que peor sabía, la más asquerosa siempre la peor de lo peor. Dios.

ADELA

A mí me da igual.

MARTA

Tienes que tener el paladar de madera. Ya empieza a asomarse el sol. Ya se van las brujas. Era un dibujo que tenía mi padre, un grabado de Goya. Lo tenía enmarcado, estaba en su despacho, en medio de todas sus fotos con gente importante que ya nadie sabe quiénes son. Ministros y cosas. Era un dibujo de dos brujas horribles. Y debajo una frase. Si amanece nos vamos. Voy a ver si duermo un rato. Tienes varias botellas de cerveza debajo del fregadero. No están frías.

ADELA

No importa. Gracias, cariño. Que duermas bien. Que duermas. No hay nada peor que el miedo. No hay nada peor que el miedo que no se puede contar. Cuando no sabes si pasan cosas horribles o si te has vuelto loca. El miedo a no poder decir tengo miedo de eso que veo en la pared y que a lo mejor no existe pero yo lo estoy viendo y no puedo dejar de mirar. Ese miedo. Lo mejor del mundo es no pensar. Beber una cerveza y no pensar. Beber cerveza de la cuarta manera. Sírveme otra, cariño, y dame fuego, anda. Lo de la cuarta manera lo decía el hermano de Marta, que no sé lo que habrá sido de su vida. Se fue con un chico rubio muy agradable a viajar por Asia o por América me parece, no sé. Tan fría no me gusta la cerveza. Él lo decía para beber whisky, pero en casa se convirtió en una frase hecha. El whisky se bebe de cuatro maneras: solo, con hielo, con agua y como agua. Es un chiste, como agua. Me beberé otra cerveza y luego volveré a la casa para estar con Marta, para por si le hace bien estar con otra persona en aquella casa y no sola en aquella casa que parece que saliera de la niebla cuando se hace de noche. Dentro de una hora será de noche, así que ponme otra cerveza, cariño, que me tengo que ir.

Madrid, 2000.

JOSÉ RAMÓN FERNÁNDEZ

LA MISMA ARENA[41]

¿Y a mí qué me importa tu vida?
A mí me importa
la vida de los míos.
¿Qué esperas?
¿Qué esperas de mí?
¿Qué harías en mi lugar?
Imagínatelo.
Imagina que llego a tu casa y te digo
no tengo a dónde ir,
me persigue tu vecino.
Ayúdame.
Déjame
dormir en tu casa
entre los tuyos.
Y no pienses en que tu vecino llamará a tu puerta.
Gritará
delante de tu puerta.
Y no pienses
que esto hará que tu hijo pierda su trabajo.
Que tu vecino ya no comprará lo que tú haces.
Ayúdame aunque con ello

---

41. (Nota del autor) Cuando se conoció el asunto de Aminatou Haidar, en diciembre de 2009, reflexioné acerca del paralelismo que se podía encontrar entre aquella situación y la obra *Las suplicantes*, escrita por Esquilo hacia el año 460 antes de Cristo. Algunas de esas reflexiones se colaron en la obra que entonces estaba escribiendo, *Babilonia*, estrenada en la Sala Triángulo en julio de 2010. Por eso, cuando Eduardo Pérez Rasilla me propuso participar en este trabajo colectivo, le dije que ya tenía algo en la cabeza. Por eso, este texto apenas tiene acción y su manera pretende tener algo que ver con ese eco de los coros griegos.

Creo que este texto podría ser representado por dos personas del mismo sexo, es decir, solo hombres o solo mujeres, o dos grupos (dos coros, aunque creo que será eficaz que no hablen como coro, sino que las frases se repartan entre las personas de cada grupo) igualmente del mismo sexo, es decir, todos hombres o todas mujeres.

solo consigas la desgracia para los tuyos.
Ayúdame
aunque yo no haya hecho nada
nunca
por ti
ni por los tuyos.
Nunca. Nada.

Yo era parte de los tuyos.

Y dejaste de serlo.

No fue mi voluntad.

¿No?
¿No?
Tú no querías ser uno de los míos.
Querías ser tú.
Vivir tu vida y
solucionar tus problemas.
Pues aquí tienes tu vida.
Querías
hacer lo mismo que hicieron ellos. Querías
que esa tierra y este mar fueran tuyos.
No nuestros.
Tuyos.
Y ahora vienes…

También quería tu amistad.

Yo no quiero amistad. Yo quiero
que mi gente duerma tranquila.
Que mis pescadores tengan qué comer.
Que los hombres con dinero
puedan comprar fruta en esa tierra.
Que mis vecinos hagan zapatos y ropa

para nosotros.
Yo quiero un buen vecino.

Yo puedo ser
un buen vecino.
Podrás pescar en este mar
y trabajar conmigo.

Ya tengo un buen vecino.
No necesito a otro.
Ayudarte
no me sirve para nada.

Ayudar es eso.
Si te sirviera
no sería ayuda.
Sería solo un negocio.
Sería solo
un negocio triste.

No pretendo ganar con ayudarte.
No lo entiendes.
No te estoy diciendo
que te ayudaría a cambio de algo.
Te estoy diciendo que ayudarte,
para mí,
es un problema.
A otros
les sería más fácil.
¿Por qué no buscas a otros?
¿Por qué solo a mí me buscas?

Tienes que ser tú.
Porque he pisado tus playas
y tus playas son piedras negras
cubiertas con la arena de mi país.

Con arena que ha traído
el aire
cada día
desde que existe el mundo.
Porque he visto a tus hijos
en la calle
y no sabría
distinguirlos
de los míos
si jugaran juntos.
No se pide ayuda a un desconocido
cuando vives
al lado de tu hermano.

¿Hermano?
Un hermano no busca la ruina de su hermano,
no intenta destruir a su familia
haciéndose enemigo del vecino.
Ellos
son tan hermanos tuyos
como yo.
No quieres que yo sea tu amigo.
Quieres que yo sea el enemigo
de ellos.
Y no lo voy a ser.
Vienes
hablando de niños que juegan
pero no dejas que tus niños
jueguen con los suyos.

Son ellos.
Son ellos los que no les dejan.
Son ellos los que no quieren nada de nosotros.

Vives junto a ellos
desde que naciste.

Ellos quieren la tierra y el mar.
Ellos quieren
la tierra y el mar vacíos.
Tal vez tú también quieres eso.
Para ellos sería
una bendición
que yo no existiera.
Tal vez para ti también lo sería.
Que no existiera mi gente.
Que no existieran
mis hijos.
Es lo único que no puedo darles.
Es lo único que no puedo daros.
No puedo daros la muerte de los míos.

Hablas con palabras grandes.
La muerte de los tuyos.
Nadie quiere
la muerte de los tuyos.
Nadie habla
de la muerte de los tuyos.
Hablamos de casas
y de carreteras,
de peces y de abono en los frutales. Hablamos
de que cada uno viva en su casa y
trabaje y sea feliz.

Hablamos de
vivir en nuestras casas encerrados,
para que no nos obliguen
a ser
lo que no queremos ser.
Hablamos de
negar nuestro nombre y el nombre
de todos nuestros padres.

De dejar de ser nosotros
para que no nos maten.
Para que no nos maten.

Nadie va a matar a nadie.

El aire ha traído poco a poco
la arena más dorada de mi tierra
y la ha dejado caer
sobre esta piedra negra que pisamos.
Desde que el mundo es mundo, la arena ha hecho este viaje.
Y ahora,
esta piedra negra es una playa
de arena tan fina
que basta pisarla con los pies desnudos
y deshace la tristeza de los hombres.
El mismo aire
puede traer los gritos de mis hijos
y el olor de la sangre.
Si eso ocurriera,
no sabrían a mar tus peces
ni a sol tus frutas,
ni podrías ser feliz
pisando esta arena.
Si eso ocurriera,
ya no podrías ser amigo de tu vecino.
He soñado un día de verano
en el final de mi pueblo,
entre las casas y el camino.
El sol en todo lo alto y mis hijos
jugando con tus hijos y con los hijos de ellos.
Jugando
a ese juego que les gusta a todos.
He soñado este sueño muchas veces.
Y he llorado al despertarme.

Porque he sabido
que solo yo tengo ese sueño.

No sabes lo que sueña tu vecino.
No sabes nada.
No somos dioses. No sabemos
arreglar lo que puede
vivir más que nosotros.
Vemos las cosas pero
no podemos arreglarlas.

Esto no es la lluvia
ni la sequía.
La tierra no ha temblado.
No es la peste.
Son cosas de personas.
No puedes mirarme y pensar
se ahoga por la lluvia o
por la arena.
Me voy.
Yo ya he hecho mi parte.

No has hecho nada.

Te he dicho en tu cara
que necesito tu ayuda. Ahora
no puedes no saberlo.
Solo quiero dejarte una pregunta.
Si me cierras la puerta, ¿qué me espera?
Esa pregunta
será tu compañía para siempre.

Madrid, febrero de 2011.

VIDA DE ESTAS OBRAS

MI PIEDRA ROSETTA

Estrenada por la compañía Palmyra Teatro el 2 de diciembre de 2012 en el Auditorio Padre Soler / Universidad Carlos III de Leganés. Dirección: David Ojeda. Temporada en Madrid, Sala Cuarta Pared, abril de 2013.
Publicada en Primer Acto, 2/2013.
Traducida al serbio por Branislav Djordjevic, Publicada en serbio por Cigoja Stampa, Belgrado, 2015
Traducida al húngaro por Gabriela Zombory. Publicada por la Universidad de Budapest, 2015. Lectura dramatizada en el Teatro Nacional de Budapest en octubre de 2015.

NINA

Premio Lope de Vega **2003**.
Publicada en la Revista Estreno, otoño de **2004**.
Traducida al francés por Angeles Muñoz, publicada por Editions de l'amandier en enero de 2005.
Traducida al inglés por Sarah Maitland, edición biligüe on line por Caos Editorial.
Lectura dramatizada (en francés) en el Théâtre de l'Atalante de Paris, el 12 de octubre de 2005, dirección de Laurent Hatat
Lectura dramatizada (en inglés) en el Rose Theatre, Rose Bruford College, Londres, el 11 de mayo de 2006. Dirección de Iain Reekie.
Estreno en el Teatro Español, Madrid, el 1 de junio de 2006. Dirección de Salvador García Ruiz. Esta producción supuso el premio SGAE/Miguel Mihura 2006 y el Premio Max 2007 para

su protagonista, Laia Marull. <u>Publicada</u> por el Teatro Español, 2006.

<u>Traducida</u> al polaco por Danuta Rycerz. <u>Publicada</u> en la revista Dialog de Varsovia, enero de 2008. <u>Lectura dramatizada</u>, (en polaco) Sala Plan B, Varsovia, dirigida por Reda Pawel Haddad, 3 de febrero de 2008.

<u>Estreno</u> en Buenos Aires, en una nueva versión, el 9 de enero de 2009. Centro Cultural Konex. Dirección: Jorge Eines.

<u>Estreno</u> en París, el 1 de noviembre de 2011, por la compañía Ohasard en el Théâtre des Dechargeurs. Dirección de Nassima Benchicou.

<u>Estreno</u> en Santiago de Chile, 25 de octubre de 2012, Sala Jorge Díaz de la Universidad Finis Terrae, dirección de Mauricio Bustos.

<u>Traducida</u> al serbio por Branislav Djordjevic. <u>Publicada</u> en serbio por Cigoja Stampa, Belgrado, 2014.

<u>Estreno</u> de nueva producción en Madrid, Teatro Guindalera, por la compañía La Risa de Cloe. Dirección: Diego Bagnera. Marzo de 2015.

<u>Lectura dramatizada</u> de su versión inglesa por la Spanish Theatre Company, con dirección de Jorge de Juan, en el Canada Water de Londres, 22 de mayo de 2015.

PIEZAS BREVES

EL SILENCIO DE LAS ESTACIONES

<u>Publicada</u> en Madrid, Boletín de la Asociación Colegial de Escritores, **1995**.

<u>Puesta en escena</u> en la Resad de Madrid en 1998, como ejercicio de la especialidad de Dirección de escena; dirección de Andrés Beladíez.

<u>Estrenada</u> en el Teatro Lagrada de Madrid el 28 de diciembre de

2009, junto con la obra *Si amanece nos vamos*, bajo el título **Conversaciones en la oscuridad**, dirección de Miguel Torres.

DOS

Publicada en *Ventolera.Rotos*, Madrid: Teatro del Astillero, 1998. Estrenada en Madrid, Sala Cuarta Pared, **1996**, dentro del espectáculo *Rotos* del colectivo autoral El astillero; dirección de Carlos Rodríguez. Reposición en Madrid, en 2002, salas Cuarta Pared y DT; dirección de Aitana Galán.
Publicada *on line* en la revista literaturas.com y en la página web dedicada al autor en cervantesvirtual, página de la Universidad de Alicante.

SI AMANECE NOS VAMOS

Publicada en el volumen colectivo *Oscuridad*, en Madrid: Teatro del Astillero, **2001**.
Publicada on line en la página web dedicada al autor en cervantesvirtual.
Estrenada en el Teatro Lagrada de Madrid el 28 de diciembre de 2009, junto con la pieza breve El silencio de las estaciones, bajo el título **Conversaciones en la oscuridad**, dirección de Miguel Torres.

LA MISMA ARENA

Texto escrito para una jornada sobre el Sahara en la Universidad Carlos III.
Lectura dramatizada, junto a textos de Lola Blasco, Antonio Rojano e Itziar Pascual. Dirección de Laila Ripoll. 8 de marzo de 2011.
Inédita hasta esta publicación.

ÍNDICE